Introduction

1. Une théologie à la recherche d'un nom

Cet ouvrage inaugure une nouvelle collection aux éditions Excelsis : « Perspectives anabaptistes ». Le lecteur attentif, aussi bien que toute personne qui connaît les auteurs contribuant à ce volume, reconnaîtra entre eux une identité plus ou moins précise. Cependant, si les divers chapitres de cet ouvrage proviennent d'auteurs mennonites, leur souhait n'est pas forcément de présenter une « théologie mennonite », si par là on entend une pensée rédigée exclusivement par et pour des mennonites.

En même temps, il serait vain de nier l'absence de projet ou d'intention dans les pages qui suivront. Il existe bel et bien le désir de présenter ici un point de vue plutôt cohérent, ayant un ancrage particulier dans une tradition donnée. La difficulté est plutôt celle de trouver un nom qui lui convienne et de décrire les contours et le paysage de cette famille chrétienne.

Les mennonites trouvent leur origine dans la « Réforme radicale » du XVIe siècle[1]. Il s'agit de la première manifestation historique moderne de ce qu'on appelle en français une « Église de professants », c'est-à-dire une Église composée de membres « volontaires », baptisés sur confession de foi et séparée (libre) de l'État (ce qui était la première forme de l'Église jusqu'au IVe siècle). Depuis lors, un grand nombre d'Églises de professants sont nées. Elles ont des noms et des origines bien différents : baptistes, puritains, piétistes, méthodistes, frères, libres, pentecôtistes… et la liste pourrait facilement s'allonger.

---

1. Voir l'ouvrage classique de George H. WILLIAMS, *The Radical Reformation*, 3e édition, Kirksville, 1992.

Toutes ces dénominations ne se reconnaissent pas forcément une origine historique ou des racines théologiques dans l'anabaptisme du XVIe siècle, et notre intention n'est pas de récupérer celles qui n'auraient pas envie de se reconnaître ainsi. Toujours est-il que ces Églises ont des points communs, tant du point de vue théologique qu'au niveau des structures ecclésiales. S'il n'y a pas toujours des liens historiques directs entre elles, il y a des ressemblances ecclésiologiques et sociologiques frappantes.

Certaines de ces Églises voient volontiers leurs racines théologiques et historiques dans la Réforme « magistérielle »[1] de Calvin ou dans le puritanisme anglais et américain. D'autres trouvent leur identité dans le piétisme wesleyen ou revivaliste, tandis qu'un bon nombre d'entre elles ne voient pas trop l'utilité d'un enracinement historique particulier et se contentent d'un label « évangélique » ou « charismatique ».

En France et ailleurs, on entend souvent dire que la Réforme et le protestantisme ont joué un rôle important dans la naissance de la modernité. Ce dont on entend parler moins souvent, c'est le rôle joué par les courants « professants » ou « libres » dans cette genèse.

> ...le mouvement vers la modernité, la sortie d'un système médiéval de chrétienté, fut plus le fait des Églises rattachées aux *dissenters*, à la Réforme radicale, que celui des Églises de multitude, qu'elles soient protestantes ou catholiques. Des Églises de professants dont on peut dégager, au-delà de multiples nuances, les traits suivants : le rejet de la symbiose Église/État, l'importance de l'engagement de l'individu et les implications concrètes de la foi chrétienne[2].

Nous voyons dans la citation précédente l'effort de dégager des traits communs à cette famille « d'Églises libres ». Notre ouvrage sur l'eschatologie cherche un point d'ancrage dans cette tradition professante, tout en reconnaissant que certains « professants » ne s'y reconnaîtront pas totalement ou pas du tout. L'une des différences ici est probablement notre enracinement conscient et voulu dans la tradition issue de la Réforme radicale du XVIe siècle. Cela dit, il ne s'agit pas de rejeter ou de négliger l'importance et l'apport théologique de la

---

1. Le terme de Réforme magistérielle se réfère aux mouvements protestants qui sont restés attachés aux pouvoirs politiques lors de leur naissance au XVIe siècle. Il a son origine dans l'ouvrage déjà cité de George Williams et s'oppose à celui de « Réforme radicale ».

2. Sébastien FATH, « "L'âge de la foi" : rêve ou réalité ? La chrétienté en question », *Fac réflexion*, n° 39, 1997/2, p. 11.

Réforme, de Luther et de Calvin[1], (ni d'ailleurs du catholicisme). Cependant, et c'est un parti pris explicite (qui fait évidemment partie d'un débat intéressant et important), il semble plus logique et intéressant de construire une *théologie professante* à partir d'une tradition qui est *professante* dès ses origines tout en étant ouvert à d'autres courants apparus tout au long de l'histoire chrétienne.

C'est ainsi que nous proposons d'utiliser le terme « anabaptiste » pour décrire la tradition et le point de vue théologique représentés dans ces pages. Les premiers anabaptistes n'ont pas choisi ce nom, il leur a été donné pour les stigmatiser et les discréditer. Dans l'histoire de l'Église depuis le XVIe siècle, le mot « anabaptiste » a souvent été utilisé comme insulte. Nous l'utilisons pour situer notre point de vue de façon historique et pour distinguer notre enracinement des autres courants professants. Anabaptiste désigne pour nous l'un des courants au sein du monde protestant, évangélique, baptiste et professant. En même temps, conscients de ne pas être seuls, et voulant apprendre des autres, nous cherchons des points communs avec d'autres Églises de professants n'ayant pas leurs origines dans l'anabaptisme du XVIe siècle. C'est pour cela que l'adjectif « mennonite » serait trop étroit pour décrire ce que nous cherchons à faire.

Une fois ce parti pris et ce point de départ formulés, on pourrait nous faire remarquer que cette tradition ou famille n'a pas l'habitude de faire de la théologie, ou n'en a pas beaucoup fait. Au XVIe siècle, si les premiers dirigeants anabaptistes avaient parfois une formation théologique poussée, la méfiance envers les théologiens et les intellectuels est devenue ensuite la norme. Certaines formes de piétisme et certains aspects des mouvements de réveil ont pu renforcer cette méfiance. Il faut bien reconnaître que les « professants » n'ont pas brillé dans l'histoire par leur production théologique. Mais cela est vrai seulement en partie. Le monde professant ayant des racines calvinistes (notamment certains milieux baptistes) fait de la théologie sérieuse et cohérente, et cela depuis longtemps. C'est surtout la mouvance professante ayant des racines directes ou indirectes dans la Réforme radicale ou sans racines réelles qui n'en a pas fait.

Nous ne serons pas les premiers à nous lancer dans une telle entreprise. Citons par exemple le travail du théologien baptiste James W. McClendon Jr, professeur à la Faculté de Théologie de Fuller

---

1. Comme nous l'avons dit ailleurs, la Réforme radicale a des racines évidentes dans la Réforme, surtout chez Luther et Zwingli. Cf. N. BLOUGH, sous dir., *Jésus-Christ aux marges de la Réforme*, Paris, Desclée, 1992.

(Californie)[1], auteur d'une théologie systématique en trois volumes. Ce qui est intéressant pour nous, c'est son point de départ explicite dans l'histoire des diverses Églises de professants, y compris les anabaptistes. À la suite d'études historiques faites à partir du XIXe siècle, McClendon fait référence au même type d'Églises que nous. Des noms divers ont été attribués à cette tradition : anabaptiste, baptiste, église libre, église de professants. Ces noms ont déjà une histoire et des résonances différentes selon les pays et les espaces linguistiques. Pour son propre projet, McClendon retient le terme « baptiste » de la même façon que nous proposons celui de « anabaptiste ».

Après avoir reconnu que cette « famille » n'a pas produit beaucoup de théologie[2], McClendon prétend néanmoins qu'il est possible de trouver en son sein des traits communs et qu'à partir de ceux-ci, on peut discerner un point de vue, un point de départ, ou bien un parti pris théologique reconnaissable. En raison d'une variété étonnante d'origines historiques et d'un manque d'unité visible entre ces Églises, elles ne voient pas toujours leur héritage commun, leur propre façon d'utiliser l'Écriture, leurs pratiques similaires, en résumé leur propre vision directrice qui est leur propre richesse théologique[3].

À quoi ressemble cette vision, ces particularités théologiques « professantes » ? Sébastien Fath en souligne trois traits que nous avons déjà cités : le rejet de la symbiose Église/État, l'importance de l'engagement de l'individu et les implications concrètes de la foi chrétienne. C'est un bon début, mais il est possible d'aller encore plus loin. McClendon cherche à tenir compte des ressemblances qui paraissent régulièrement au long de l'histoire de ces Églises. Il propose cinq traits ou caractéristiques comme point de départ théologique[4].

Une théologie baptiste ou anabaptiste se distinguerait par :

1) Son enracinement dans l'Écriture. Il s'agit d'une acceptation simple de l'autorité de la Bible, sans forcément proposer une théorie de l'inspiration.

---

1. Nous citerons deux ouvrages de McClendon : *Systematic Theology : Ethics*, Nashville, Abingdon Press, 1986 (cité désormais McClendon I) et *Systematic Theology : Doctrine*, Nashville, Abingdon Press, 1994 (cité désormais McClendon II). Le professeur McClendon est décédé en 2000 et le volume trois vient de paraître : *Systematic Theology : Witness*, Abingdon Press, 2000.
2. McClendon I, p. 20.
3. McClendon I, p. 26.
4. Cf. McClendon I, p. 28-35.

2) Son accent placé sur la mission ou l'évangélisation. La mission consiste à témoigner du Christ et à accepter la souffrance éventuelle qui viendrait de ce témoignage ; elle n'est pas l'effort de chercher à diriger le déroulement de l'histoire au nom des fins que nous croyons justes.
3) La liberté, comprise non pas comme le renversement de tout autorité oppressive, mais la liberté donnée par Dieu pour témoigner de lui sans l'intervention de l'État ou d'autres puissances.
4) La « Nachfolge Christi », ou bien le « discipulat » : suivre Jésus n'est pas une discipline ésotérique réservé à un petit nombre. Il s'agit, pour tous les chrétiens, de vivre en serviteur à cause de la seigneurie de Jésus-Christ.
5) La vie communautaire comprise non pas comme accès privilégié à Dieu, c'est-à-dire une Église « chaude » ou fermée, mais comme la mise en commun d'une histoire et d'une vie de service obéissant au Christ.

Sans vouloir le démontrer dans le détail ici, ces traits se trouvent de façon explicite ou implicite dans les contributions diverses de cet ouvrage. Rien que le fait de vouloir lier eschatologie et vie quotidienne en cherchant les aspects et implications éthiques, communautaires et missionnaires de la doctrine de la fin reflète une certaine compréhension de la théologie.

Dans la perspective de McClendon, la théologie ou la doctrine chrétienne renvoie à *l'Église qui enseigne ce qu'elle doit enseigner pour être l'Église ici et maintenant*[1]. Dans certaines traditions, la doctrine se comprend surtout ou exclusivement comme des propositions ou formulations abstraites explicitant la révélation de Dieu aux hommes. Le point de départ proposé ici, avec ses accents sur l'engagement du disciple, la vie communautaire et sa présence missionnaire dans le monde, ne peut que lier doctrine et vie. Ce qu'on croit de Dieu et du monde débouche sur une mise en pratique commune dans l'Église, tournée vers le monde. Comme la médecine ou le droit ne sont pas seulement des connaissance théoriques, mais débouchent sur la pratique et la vie, il n'y a pas de doctrine enseignée par l'Église qui ne soit pas source de pratique[2]. Un bon médecin ou un bon avocat n'est jamais évalué seulement à partir de ses connaissances, mais aussi à partir de sa pratique. Et s'il y a une place souvent sous-estimée par certaines de nos communau-

---

1. McClendon II, p. 24.
2. McClendon II, p. 28.

tés pour la théologie comme activité intellectuelle exigeante, l'Église enseigne aussi par ce qu'elle fait et ce qu'elle vit.

Dans cette perspective, la première source, le point de départ pour la doctrine est l'Écriture. L'Église est la communauté dont la Bible est le livre source de « doctrine qui débouche sur la pratique ». Ceci implique des pratiques de lecture et une certaine vision du passé et de l'avenir. L'Écriture est dans cette vision et ce processus le lien entre l'Église des apôtres et nos communautés. Ce qu'affirme la Bible pour l'Église primitive est aussi vrai pour nous, ici et maintenant. Ce que Jésus et les apôtres ont enseigné aux premiers disciples nous est aussi enseigné et donné. La théologie consiste à faire ce lien d'interprétation rendu nécessaire par le passage du temps et le changement de contextes socioculturels et linguistiques.

Affirmer qu'une collection de livres (le canon biblique) est source normative et point de départ signifie que le travail théologique est en grande partie un travail d'interprétation. C'est un dialogue qui s'instaure entre le passé et des contextes toujours nouveaux. Ceci explique l'importance de l'histoire : il est nécessaire d'étudier comment, à des époques différentes, les chrétiens ont compris leur place et rôle. Il n'y a pas de lecture biblique sans filtre historique. Toute famille confessionnelle fait appel à une tradition de lecture, à des filtres herméneutiques qui sont conditionnés par l'histoire. Cet ouvrage fait donc une place au passé, celui des « anabaptistes » du XVIe siècle, en étudiant comment ils ont compris l'eschatologie biblique à leur époque et dans leur contexte[1].

Mais il n'y a pas seulement le passé. Il y a aussi l'affirmation fondamentale de la seigneurie du Christ et de son retour. L'Église d'aujourd'hui est aussi appelée à refléter le monde à venir. C'est l'une des affirmations centrales des divers chapitres de cet ouvrage. Il s'agit d'une affirmation christologique importante : le Christ ressuscité que nous servons est à la fois le Jésus de Nazareth mis à mort à Jérusalem et celui qui reviendra. Le passé et l'avenir jouent un rôle-clé dans notre enseignement et notre pratique aujourd'hui. La théologie sert à articuler ces liens parfois complexes.

Le fait de proposer une théologie particulière et consciente est aussi une manière d'entrer en dialogue avec d'autres familles chrétiennes. Il

---

1. Il va sans dire que l'histoire de l'anabaptisme du XVIe siècle n'est pas la source exclusive ou même la plus importante de connaissances historiques. McClendon fait appel, de façon voulue, à toute une gamme de traditions et de personnages représentant la tradition baptiste et bien d'autres.

est bon de rappeler qu'il n'y a pas une seule théologie chrétienne, il y en a plusieurs, chacune cherchant et proposant sa cohérence. Ces théologies particulières sont toujours liées à une ecclésiologie, à une manière de comprendre et de vivre la communauté chrétienne. Dans la tradition catholique, l'Église se définit institutionnellement, dans les traditions protestantes magistérielles, elle se définit par l'annonce de l'Évangile et l'administration des sacrements. Dans le premier cas, pour que l'Église existe, il faut une hiérarchie bien établie et définie, dans le deuxième cas, il faut un pasteur bien formé pour annoncer la Parole et administrer les sacrements. Dans la tradition professante et anabaptiste, il n'y pas de hiérarchie définie ou une seule tradition théologique qui définit l'essence de l'Église. Celle-ci est d'abord la communauté des disciples, une communauté qui cherche à vivre sa foi à partir de l'Écriture[1].

Travailler à partir d'une perspective particulière est une manière de reconnaître qu'il n'y a pas de théologie chrétienne « universelle ». Il existe des théologies différentes et parfois concurrentes qui prétendent à l'universalité, mais il n'y en a pas une qui prédomine (sauf « chez elle »)[2]. Chacune continue à vivre au sein de sa communauté ecclésiale. Notre effort, en cherchant à nous définir, ne signifie pas le rejet d'autres théologies, mais le désir de présenter aux autres une manière différente de voir les choses que nous trouvons cohérente et convaincante. Ce que nous dirons peut être accepté ou rejeté, mais nous voulons l'exposer dans un esprit fraternel et ouvert, nous disant prêts à écouter et à prendre au sérieux les réactions et les objections éventuelles.

2. Pourquoi un effort collectif ?

Ce travail à plusieurs se veut plus qu'un ouvrage collectif habituel. Cela n'a pas été facile, et nous avons vécu cet effort comme un défi et une aventure. Chaque chapitre a d'abord été rédigé par son auteur. Lors d'un premier week-end de travail ils ont été présentés et discutés. Ensuite, un processus de réaction et de discussion a été mis en marche, entre les participants mais aussi avec des lecteurs extérieurs. La plupart des « théologies » ont été rédigées par une seule personne. Peut-on tra-

---

1. Comme autre exemple de théologie « professante », nous pourrions citer Miroslav Volf qui cherche à entrer en dialogue avec les ecclésiologies romaine et orthodoxe. Le résultat de son travail est très impressionnant : *After Our Likeness : The Church as the Image of the Trinity*, Grand Rapids, Eerdmans, 1998.

2. McClendon II, p. 43, 44.

vailler ensemble, à partir de disciplines et de sensibilités différentes et produire quelque chose de cohérent ? Nous l'espérons, mais cela reste à démontrer.

Le travail collectif présente néanmoins certains avantages. La multiplicité de disciplines représentées ici (Bible, sociologie, histoire, théologie pratique) permet d'aborder un même sujet théologique de manières différentes et complémentaires. Il y a certainement des lacunes et des points faibles, rien que par la constitution du groupe. Nous le reconnaissons, mais ne prétendons pas non plus répondre à toutes les questions ou aborder l'eschatologie dans sa globalité.

Le fait qu'il y ait deux historiens dans le groupe, diront certains, donne déjà trop de poids à l'histoire. En même temps, comme nous l'avons souligné, toute théologie s'enracine dans une tradition. Celle qui est racontée ici est méconnue, voire inconnue. Retourner au XVIe siècle permet d'examiner comment les circonstances peuvent parfois pousser à des excès ou expliquer des choses qui paraissent difficiles à comprendre aujourd'hui (par exemple un retrait du monde excessif). Aucune théologie ne se fait dans le vide, et les attitudes des uns et des autres ont toujours leur origine dans un contexte particulier.

De même, l'approche sociologique est très utile. Si au XVIe siècle, dans un contexte de chrétienté, le langage biblique et eschatologique allait de soi, aujourd'hui ce n'est plus le cas. Une analyse fine de la société contemporaine nous permet à la fois de constater qu'il y a des eschatologies présentes là où l'on ne s'y attendrait pas forcément et comment l'eschatologie biblique peut exercer à nouveau une influcence dans un tel contexte.

Nous l'avons dit : l'ancrage biblique est important, cependant le nombre de biblistes dans le groupe est limité. Il manque un regard sur l'Ancien Testament, et il n'y a pas d'étude systématique de l'eschatologie biblique. Cependant, il est clair que chaque auteur fait appel (explicitement et implicitement) à l'Écriture. La contribution de Bernard Huck nous montre l'importance des thèmes eschatologiques du Nouveau Testament dans la vie éthique et cultuelle de l'Église. Il est crucial de rappeler l'ancrage biblique des Béatitudes, mais aussi de montrer, comme le fait Linda Oyer, que le pardon est une manière pour l'Église d'aujourd'hui de refléter l'avenir que Dieu nous promet.

Disons aussi un mot sur la présence du chapitre traduit du professeur John Yoder, décédé en 1997. Cette contribution est à la fois biblique et systématique, et cherche à expliquer l'eschatologie d'un point de vue anabaptiste. Yoder est certainement l'un des théologiens qui représentent le mieux la tradition dans laquelle s'exprime cet ouvrage[1]. Souvent dans l'histoire, cette tradition a été considérée au pire comme dangereuse, au mieux, comme un rappel de quelques vérités dont il faudrait se souvenir de temps en temps. Récemment, le théologien calviniste Richard Mouw écrivait à propos de Yoder :

> Dans la position anabaptiste que nous rencontrons ici, il ne s'agit pas simplement de quelques rappels théologiques, ni d'un témoignage louable de l'importance des questions sur le « style de vie ». Au contraire, il s'agit d'une perspective mûre et cohérente concernant les questions cruciales de la théologie… Non seulement Yoder présente la position anabaptiste comme une option cohérente face aux autres ecclésiologies, mais en le faisant, il prétend de façon convaincante… que nous ne pouvons plus travailler avec les schémas classiques utilisés pour désigner nos positions…[2]

Le travail de Yoder présenté ici date des années 1950 mais, en dehors de quelques références historiquement dépassées, il n'a rien perdu de sa pertinence.

3. Pourquoi commencer avec l'eschatologie ?

Il n'y a pas nécessairement une raison logique pour commencer une réflexion théologique à partir de l'eschatologie. Nous l'avons fait par choix et par convenance, sans d'abord chercher cela autrement que par le fait que le sujet nous intéressait tous. Cependant, notre choix n'est pas neutre et il est possible de citer deux exemples intéressants de théologie anabaptiste qui débute avec l'eschatologie.

Dans son deuxième volume, qui traite explicitement de doctrine, McClendon aborde en premier lieu l'eschatologie, c'est-à-dire le règne de Dieu, en faisant remarquer que l'enseignement et la théologie chrétienne commencent avec une confession de foi : Jésus-Christ est Seigneur[3]. Cette confession contient une dimension eschatologique forte.

---

1. McClendon reconnaît l'importance de Yoder dans son propre travail. Cf. la première phrase de la préface du premier volume : « 1974, c'était l'année où j'ai lu *Jésus et le politique* de John Yoder ».
2. Richard Mouw, dans l'avant-propos J.H. YODER, *The Royal Priesthood : Essays Ecclesiological and Ecumenical*, Grand Rapids, Eerdmans, 1194, p. viii.
3. Cf. MCCLENDON II, 64ss.

La Seigneurie du Christ, si elle est réelle, ne se verra par tous que dans l'avenir, le jour où « tout genou fléchira et toute langue confessera ». Le passé chrétien qui nous est cher nous affirme que le monde trouvera son avenir en Dieu. Croire cela vraiment ne peut qu'agir sur notre vie quotidienne. Si tout se joue ici et maintenant, si demain n'est pas source d'espérance, nos vies seront autres. Nous vivons en fonction de nos convictions, même lorsque celles-ci sont implicites ou même inconscientes.

De même, le théologien mennonite américain, Thomas Finger, dans sa théologie systématique en deux volumes, utilise l'eschatologie comme point de départ mais aussi comme principe d'organisation de tout son travail[1]. Il est certain que la théologie chrétienne proprement dite commence avec la résurrection du Christ. Sans cet événement eschatologique, sa vie et sa mort auraient probablement été oubliées. Le « déjà » et le « pas encore » de la foi chrétienne se trouvent derrière toute action ou pensée. C'est la résurrection du Christ et l'attente de son retour qui sont le moteur de l'éthique chrétienne et le « point de vue » qui permet de comprendre le passé, c'est-à-dire l'Ancien Testament, la vie et la mort du Christ et l'histoire de l'humanité[2].

Si cet ouvrage n'a pas de prétention « systématique », il est clair que l'eschatologie ne peut être marginalisée ou mise de côté dans la théologie et la pratique chrétiennes. Tous les chapitres en sont témoins. Ce que nous croyons sur « demain » influe sur « aujourd'hui ». Autant l'affirmer clairement pour pouvoir mieux le vivre.

Neal BLOUGH

---

1. Thomas FINGER, *Christian Theology : An Eschatological Approach*, Scottdale, Herald Press, Volume I, 1985 ; Volume II, 1989.
2. FINGER, I, 102.

SECTION I
ESCHATOLOGIE ET VIE QUOTIDIENNE DANS L'HISTOIRE

Certains pourraient croire que le travail historique présenté dans cette première partie éloigne le lecteur de la problématique pratique et « quotidienne » du livre. Telle n'est pas notre intention, au contraire. Nous commençons avec l'histoire pour plusieurs raisons. D'abord cette histoire situe, du moins en partie, l'arrière-plan de la tradition représentée dans ce livre. Ce qu'on sait de la Réforme se limite souvent à Luther et à Calvin. L'anabaptisme est souvent malconnu sinon inconnu et ces deux chapitres sont une contribution modeste à faire connaître cette histoire.

Deuxièmement, et Claude Baecher l'avait déjà montré très bien dans sa thèse, l'eschatologie joue un rôle important dans l'élaboration théologique et éthique anabaptiste. Autrement dit, le lien entre eschatologie et vie quotidienne fut assuré dès la naissance du mouvement.

Ce qui est souvent connu ou dit au sujet de l'anabaptisme, c'est qu'il fut sectaire. En est témoin la confession de Schleitheim de 1527[1] qui préconise une séparation presque totale d'avec le monde méchant. Le climat hypertendu de l'après 1525 (dû à l'échec sanglant du mouvement paysan), le positionnement de Luther et de Zwingli du côté des autorités politiques ainsi que leur rejet et diabolisation de l'option anabaptiste permet de mieux comprendre le rejet du monde des « frères suisses ». Ces derniers sont « sortis du monde », mais ce même monde les mettait à mort, « au nom du Christ ». Il n'y avait pas de véritable choix, sinon la disparition. C'était donc autant le poids des circonstances qu'un choix délibéré de leur part, ce qui laisse entendre que la séparation extrême adoptée par les « Frères suisses » à partir de 1527 serait un élément à retravailler dans notre propre contexte.

---

1. Pour une traduction française du texte de Schleitheim, voir Claude BAECHER, *L'affaire Sattler*, Méry-sur-Oise, Éditions Sator, 1990, p. 43-59.

Cependant, comme le démontre le premier chapitre, nous trouvons, à Strasbourg autour de 1530, une théologie anabaptiste (celle de Pilgram Marpeck) moins « sectaire ». Dans le contexte de la Réforme strasbourgeoise et l'éventualité d'une guerre entre catholiques et protestants, Marpeck utilise l'eschatologie pour construire une critique pertinente de ceux qui se battent au nom de l'Évangile. Il conçoit aussi un rôle positif pour l'État, et une mission pour l'Église dans le temps qui reste jusqu'à « la fin ». Des études récentes montrent une influence insoupçonnée de la pensée de Marpeck dans les milieux des anabaptistes suisses, et cela jusqu'au XVIIe siècle.

Le deuxième chapitre nous présente la pensée eschatologique des « frères suisses » dans la durée, c'est-à-dire depuis les origines dans la réforme zurichoise autour de Zwingli jusqu'aux influences du piétisme. Nous voyons ainsi l'attitude eschatologique des origines, la manière dont elle contribue à penser la relation entre l'Église et le monde. Une chose est claire : la séparation d'avec le monde ne peut pas se comprendre sans l'eschatologie. Nous voyons aussi la manière dont les circonstances historiques peuvent contribuer à modifier le regard eschatologique.

Une dernière remarque : il est frappant de voir que le discours eschatologique du XVIe siècle fut en lien direct avec la réalité politique et publique, ce qui est beaucoup moins vrai aujourd'hui dans notre Occident sécularisé. Est-il possible de remettre la foi chrétienne au sein des débats de notre société, sans tomber dans la nostalgie des temps où l'Église cherchait à régner sur le monde ? Ce seront les chapitres de la troisième partie qui suggéreront des pistes pour redécouvrir ce lien entre eschatologie et vie publique.

Eschatologie, christologie et éthique : la fin justifie les moyens

Introduction

Dans les pages qui suivent nous examinerons un discours théologique où l'eschatologie joue un rôle clé. Nous verrons que le regard sur l'avenir (lié d'ailleurs à une analyse du passé) détermine le comportement éthique préconisé pour le présent. Comme tout raisonnement théologique, celui que nous allons examiner s'enracine dans un contexte précis. C'est pourquoi une partie importante de notre écrit sera consacrée à l'examen de ce contexte. Nous verrons ensuite la façon dont ce discours s'élabore pour justifier des choix éthiques particuliers.

Nous irons à Strasbourg, vers le début des années 1530. Nous y rencontrerons un théologien laïc et anabaptiste, Pilgram Marpeck. Venu à Strasbourg en 1528 pour fuir la persécution dans son Tyrol natif, Marpeck se trouve rapidement parmi les dirigeants des communautés anabaptistes et ses qualités de théologien autodidacte en font rapidement l'interlocuteur à la fois des réformateurs « officiels » (Bucer et Capiton) et des dissidents de tendance spiritualiste (Entfelder, Bünderlin, Schwenckfeld)[1].

Dans l'histoire de la Réforme, 1530 peut être considérée comme une année critique. Selon Marc Venard[2], à partir de 1530, l'espoir d'une réforme globale de la chrétienté occidentale n'est plus une véritable option. Le temps de la « confessionnalisation » est venu, on ne pourra plus éviter d'avoir à choisir entre les différentes réalités confessionnelles

---

1. Voir Neal BLOUGH, *Christologie anabaptiste,* Genève, Labor et Fides 1984, et Stephen BOYD, *Pilgram Marpeck : His Life and Social Theology,* Mayence, Verlag Philipp von Zabern, 1992.

2. Marc VENARD, éd., *Histoire du christianisme des origines à nos jours*, tome VIII, *Le temps des confessions (1530-1620/30)*, Paris, Desclée, 1992, p. 9.

(catholique, luthérienne, réformée) en voie de naissance et en lutte pour leur survie.

Dans le cas des Réformes protestantes, la « confessionnalisation » est un concept utilisé pour décrire la façon dont les Églises luthériennes et réformée sont nées et se sont structurées en collaboration avec les autorités politiques, dans le cadre de divers systèmes politiques dans différentes régions. La présentation de la Confession d'Augsbourg devant la diète impériale en 1530 et la constitution de la Ligue de Smalkalde qui s'en est suivie, base politique des Églises luthériennes, sont une bonne illustration du début de ce processus.

En examinant côté à côte les réformes protestantes et catholique du XVIe siècle, Jean Delumeau parle d'un double processus de christianisation qui a succédé à la légende d'une chrétienté du Moyen Âge, qui, à ses yeux, n'était guère chrétien[1]. Que l'on soit ou non d'accord avec Delumeau dans sa manière de comprendre le Moyen Âge, il est certain que le XVIe siècle a bien été celui d'une période de christianisation et de confessionnalisation catholique et protestante. Alors qu'auparavant l'Europe occidentale ne comptait qu'une Église chrétienne correspondant au concept à la fois théologique, politique et géographique de chrétienté (encore qu'elle ait été confrontée à la présence des Juifs en son sein et des musulmans à ses frontières politiques), la naissance des traditions luthérienne, réformée et d'autres encore entraîna un pluralisme nouveau, avec la coexistence de plusieurs formes d'expression de la foi chrétienne.

Il est clair qu'en 1520, Luther ignorait tout de l'impact qu'auraient ses idées sur les structures religieuses et politiques de son époque. Sa théologie (y compris l'eschatologie) et sa conception de l'Église s'élaborèrent dans une atmosphère de polémique et de schisme. Dans un contexte de relations étroites entre la foi chrétienne et la politique, héritées du Moyen Âge, l'une des questions majeures posées à la Réforme fut de savoir comment les nouvelles doctrines pouvaient prendre place dans le domaine public.

De nouvelles Églises sont ainsi nées dans le creuset constitué par le débat théologique, mais aussi par le conflit entre la papauté, l'empire et la France, ou encore par la guerre des paysans, les nouveaux sentiments nationaux etc...Dans les premières années de la Réforme, bien des opinions sont entrées en concurrence. Bien des idées différentes sur ce

---

1. J. DELUMEAU, *Le catholicisme entre Luther et Voltaire,* 4e édition, Paris, Presses Universitaires de France, 1992.

qu'étaient les erreurs de l'Église et les remèdes qu'il fallait y appliquer coexistaient, dialoguaient les unes avec les autres, mais aussi se combattaient. Au fur et à mesure que le temps passa, des solutions furent trouvées pour divers problèmes, souvent sous la pression des événements. Comme le dit Bob Scribner : « Bien des activités réformatrices de la première génération relevaient, par nécessité, du tâtonnement »[1]. De même, comme nous le verrons, le raisonnement théologique (et eschatologique) se construisait toujours pour répondre à des situations précises et à des questions particulières.

Les historiens (et à plus forte raison les théologiens) ont parfois tendance à conclure de l'examen des événements que les choses ne pouvaient pas se passer autrement. Il est facile d'oublier qu'à des moments décisifs, des gens ont pris des décisions et ont choisi une voie plutôt qu'une autre, mettant en place des institutions et des théologies pour consolider leurs choix. Une fois ces institutions et ces théologies établies, d'autres options devenaient alors impossibles. À partir du moment où la Réforme décida de travailler étroitement avec les conseils municipaux et les princes, d'autres options se trouvèrent exclues.

Les choix faits pendant la période de la confessionnalisation ont eu des conséquences majeures pour l'histoire de l'Europe occidentale au cours des siècles suivants. Certains territoires sont restés catholiques, d'autres ont changé d'orientation religieuse. Certains sont devenus luthériens, d'autres réformés. Cette période voit aussi le début de l'expansion occidentale en Afrique, Asie, Amérique du Nord et du Sud. Les modèles de christianisation de l'Europe occidentale furent exportés ailleurs. Venard appelle cela la grande époque de la christianisation de la civilisation occidentale qui porte en elle, en même temps, les germes de la sécularisation[2].

Dans ce vaste contexte de la confessionnalisation, nous allons écouter une petite voix, une critique venue d'en bas, de quelqu'un qui n'avait aucun pouvoir politique et qui pensait que l'Église ne devait pas s'engager aussi volontiers dans un processus de défense de la foi par la coercition et les moyens militaires. Cette critique, dans laquelle l'eschatologie joue un rôle important, affirme l'existence d'autres

---

1. Bob SCRIBNER, Royer PORTER, Mikulas TEICHS, *The Reformation in National Context*, Cambridge, Cambridge University Press, 1994, p. 26.

2. « Grande époque, assurément, de christianisation de la civilisation occidentale, l'époque moderne en prépare la sécularisation », Marc VENARD, Avant propos, *Histoire du christianisme des origines à nos jours,* tome VII, *De La Réforme à la Réformation (1450-1530),* Paris, Desclée, 1994, p. 7.

moyens de christianisation (de mission et de témoignage), d'autres possibilités pour la transmission du message chrétien. Ces possibilités ont été violemment rejetées au XVIe siècle ; pourtant elles sont devenues, de bien des manières, constitutives de l'identité de l'Occident. Cette petite voix suggère également d'autres manières de réfléchir (théologiquement et eschatologiquement) aujourd'hui, dans notre propre contexte.

L'ouvrage du XVIe siècle auquel est consacré cette étude, *Aufdeckung des Babylonischen Hurn* (La dénonciation de la prostituée babylonienne), a été exhumé et édité grâce à Hans Hillerbrand en 1958[1]. En 1987, Walter Klaassen a suggéré que l'anabaptiste Pilgram Marpeck était l'auteur le plus vraisemblable de ce document[2] et cette hypothèse jouit d'un accord croissant dans les études récentes sur Marpeck. Nous prenons comme point de départ cette hypothèse[3] qui suggère aussi comme contexte immédiat les événements en relation avec la formation de la Ligue protestante de Smalkalde durant les années 1532-33. En fait, nous avons affaire à un texte anabaptiste qui cherche à contribuer au débat sur la relation de la Réforme avec la puissance politique de l'Empire et les débuts de ce que nous avons appelé « confessionnalisation ».

1. Marpeck, Strasbourg et la Réforme

Pilgram Marpeck devint citoyen de Strasbourg le 19 septembre 1528, après avoir été obligé de quitter son Rattenberg natal. Il avait traversé la Bohême, rencontrant sur son chemin les communautés anabaptistes de Krumau et d'Austerlitz. Parmi les divers groupes anabaptistes qui étaient à Strasbourg à cette époque-là, c'est du courant suisse que

---

1. H. HILLERBRAND, « An Early Anabaptist Treatise on the Christian and the State », *Mennonite Quarterly Review (MQR)*, janvier 1958, p. 28-48.

2. W. KLAASSEN, « Investigation into the Authorship and the Historical Background of the Anabaptist Tract *Aufdeckung der Babylonischen Hurn* », *MQR*, juillet 1987, p. 251ss.

3. Dans notre travail de thèse, nous n'avons pas utilisé ce document, ne sachant pas à ce moment qu'il venait de Marpeck. Ce que nous livrons ici vient en grande partie d'un travail plus récent, élaboré pour un colloque sur la christianisation de l'Occident aux XVIe et XVIIe siècles : « *The Uncovering of the Babylonian Whore* : Confessionalization and Politics Seen from the Underside », *Mennonite Quarterly Review*, janvier 2001, p. 37-56. Cette étude renforce l'hypothèse de Klaassen concernant Marpeck, mais les détails de cette argumentation ne sont pas nécessaires pour ce que nous faisons ici.

Marpeck fut le plus proche[1]. Ce courant, originaire de Zurich, reçut sa définition théologique la plus travaillée à Schleitheim en 1527. Les historiens se sont centrés sur l'activité de Marpeck en tant que chef de file anabaptiste à Strasbourg et sur son rôle polémique dans les débats entre les anabaptistes et les spiritualistes. Werner Packull a récemment suggéré que ces débats débordaient largement Strasbourg et touchaient le grand réseau des communautés anabaptistes jusqu'en Moravie[2]. En même temps, Marpeck était aussi en dialogue avec les réformateurs strasbourgeois et ses débats avec Bucer qui s'achevèrent lorsqu'il quitta Strasbourg en janvier 1532 ont aussi été soigneusement étudiés[3].

C'est le privilège de l'historien et des générations ultérieures de savoir à quoi les événements devaient aboutir, ce qui n'était pas le cas bien évidemment de ceux qui ont participé aux débuts de la Réforme et de l'auteur de l'*Aufdeckung*. Nous nous proposons de lire ce texte et de regarder le cours des événements à Strasbourg du point de vue de ceux qui en étaient les acteurs, et qui ne savaient pas (encore) ce qui allait arriver. L'histoire a pris une certaine direction, mais cela ne signifie pas que les événements n'auraient pas pu prendre un autre cours, ou du moins que ceux qui y étaient impliqués n'étaient pas à même de projeter d'autres choix dans l'avenir que ceux qui ont été finalement adoptés.

Tout comme nous ne savons pas de quoi sera fait demain, ni Marpeck ni Bucer ne savaient pas où aboutirait la Réforme à Strasbourg. Tous deux avaient des idées théologiques, stratégiques et politiques qui leur permettaient de concevoir et de proposer diverses options concrètes pour la Réforme. Au début des années 1530, Strasbourg était un des rares lieux où demeurait encore un peu d'espace pour des dissidents comme Marpeck, Caspar Schwenckfeld et pour les diverses Églises et les cercles anabaptistes ou spiritualistes en activité à ce moment précis. Néanmoins cet espace diminuait sans cesse et devait disparaître officiel-

---

1. Pour Marpeck et l'anabaptisme à Strasbourg, voir Klaus DEPPERMANN, *Melchior Hoffman : Social Unrest and Apocalyptic Vision in the Age of the Reformation,* Édimbourg, T. & T. Clark, 1987, p. 274-275. Pour Marpeck et les Frères suisses, voir notre « Pilgram Marpeck et les Frères suisses vers 1540 », in : *« ...LEBENN NACH DER LER JHESU... » « DAS SIND ABER WIR ! » Berner Täufer und Prädikanten im Gespräch 1538-1988,* Berne, Verlag Stämpfli & Cie, 1989, p. 147-164.

2. Werner O. PACKULL, *Hutterite Beginnings : Communitarian Experiments during the Reformation,* Baltimore et Londres, Johns Hopkins University Press, 1995, p. 134 s.

3. Donald J. ZIEGLER, « Marpeck versus Butzer : A Sixteenth Century Debate over the Uses and Limits of Political Authoritiy », in Carl S. Smith, éd., *Sixteenth Century Essays and Studies,* v. II, Saint Louis, Foundation for Reformation Research, p. 95-107.

lement en 1534-35. Marpeck pressentait sans doute que cela pouvait finir ainsi tout en espérant probablement en même temps qu'il en irait autrement. En avril 1530, Melchior Hoffmann eut encore l'aplomb de demander aux autorités locales que l'une des églises de Strasbourg soit donnée aux anabaptistes[1].

En ce qui concerne sa propre réforme, Strasbourg prit une décision importante en février 1529 avec l'abolition de la messe catholique. Plusieurs mois après, à la diète de Spire, l'empereur tenta d'annuler les accords passés en 1526 et par lesquels, et ses partisans pouvaient exister et fonctionner en tant qu'Églises. Le 19 avril 1529, six princes et quatorze villes allemandes élevèrent une protestation et devinrent ainsi « protestants ». Quatre jours plus tard l'empereur restreignit encore la possibilité pour les dissidents anabaptistes d'exister en instituant la peine de mort pour ceux qui pratiquaient un « re-baptême ». Bien que Strasbourg fût une ville impériale, elle n'appliqua pas cette loi, ce qui pouvait constituer une raison d'espérer pour Marpeck et d'autres.

L'année suivante Strasbourg participa à la diète d'Augsbourg et, avec trois autres villes, présenta sa propre confession de foi à côté de la Confession d'Augsbourg qui fut lue le 25 juin 1530. Naturellement, Charles Quint ne fut pas convaincu par ces confessions de foi et demanda aux luthériens de renoncer à leurs convictions. Lorsqu'ils s'y refusèrent, l'empereur leur donna jusqu'en avril 1531 pour abjurer.

Les protestants, s'attendant à une action vigoureuse de la part de l'empereur, se réunirent dans la petite ville de Smalkalde sur la frontière sud-ouest de l'Électorat de Saxe, du 22 au 31 décembre, et formèrent l'alliance défensive connue sous le nom de Ligue de Smalkalde. Elle choisit la Confession d'Augsbourg comme base doctrinale.

Deux mois plus tard, en février 1531, Strasbourg et plusieurs autres villes allemandes méridionales entrèrent dans la Ligue. Entre le 26 et le 28 juin 1531, une commission de juristes et de théologiens se réunit à Torgau pour débattre de la question de la résistance politique et militaire à l'empereur. Déjà en avril de la même année, Luther avait écrit son *Avertissement à ses chers allemands*[2] dans lequel il acceptait, non sans réticences, la possibilité d'une politique de résistance à l'empereur. Comme beaucoup d'autres œuvres de Luther, l'*Avertissement* fut aussi imprimé à Strasbourg en 1531.

---

1. M. KREBS et H.G. ROTT, *Quellen zur Geschichte der Täufer, VII. Band, Elsass I. Teil, Stadt Strassburg 1522-1532,* Gütersloher Verlagshaus Gerd Mohn, 1959, p. 185. (Cité désormais *QGT VII*).

2. Martin LUTHER, « Warnung an seine lieben Deudschen », *Luthers Werke,* Kritische Gesamtausgabe, Weimar, Böhlaus, 1883..., XXX, p. 254s.

Le fait que Strasbourg ait rejoint la Ligue de Smalkalde ne pouvait être une bonne nouvelle pour Marpeck et les anabaptistes. En se rapprochant de Luther, Bucer devait en principe être amené à adopter une attitude anti-anabaptiste plus sévère, compte tenu des cinq condamnations de l'anabaptisme dans la Confession d'Augsbourg, base doctrinale officielle de la Ligue. C'est alors que Marpeck fut amené à s'opposer ouvertement au Conseil de la ville de Strasbourg car, en juillet 1531, deux de ses écrits furent officiellement censurés comme contenant des « doctrines anabaptistes »[1]. La mort de Zwingli sur un champ de bataille, durant la guerre contre les cantons suisses catholiques en octobre 1531, ne pouvait que contribuer à rapprocher Strasbourg des princes luthériens et de la Ligue de Smalkalde.

C'est dans ce contexte de tension politique que Marpeck et Bucer dialoguèrent en présence du Conseil de Strasbourg le 9 décembre 1531. Le compte-rendu de ces conversations nous apprend que Marpeck accusa Bucer de se cacher derrière le pouvoir politique soit du « *Gemeine Mann* »[2] (l'homme du commun, terme utilisé pour désigner ceux qui avaient participé au soulèvement paysan) soit « des princes et des villes ». Ces mêmes termes et accusations figurent dans l'*Aufdeckung* contre les prédicateurs évangéliques. Peu de temps après, le 18 décembre 1531, le Conseil décida que Marpeck devait quitter Strasbourg et le libéra de son emploi. Pour une dernière fois, en janvier 1532, Marpeck discuta sa théologie avec le Conseil après avoir envoyé directement une confession de foi à Bucer pour justifier sa position. Cette confession, elle aussi, critiquait tout recours aux structures politiques pour imposer ou défendre l'Évangile. À partir de cette date, on ne trouve plus trace de Marpeck à Strasbourg.

Deux raisons nous poussent à placer la rédaction de l'*Aufdeckung* peu de temps avant ou après son départ de Strasbourg en janvier 1532. D'abord, l'*Aufdeckung* est sortie de la presse de Jacob Cammerlander de Strasbourg qui avait édité deux écrits anti-spiritualistes de Marpeck en 1531. Ensuite, l'*Aufdeckung* se réfère à l'éventualité prochaine de violences et d'effusions de sang liées à une résistance évangélique à l'empereur. Cette violence ne s'est pas produite, car la date butoir fixée par Charles Quint, le 15 avril 1531, arriva et passa sans aucune attaque de sa part. Lorsque la diète se réunit à Nuremberg au courant de l'été

---

1. *QGT VII*, p. 335.
2. Pour une analyse du concept « Gemeine Mann », voir Peter BLICKLE, *The Revolution of 1525 : The German Peasants' War from a New Perspective* (traduit de l'original en allemand), Baltimore et Londres, Johns Hopkins University Press, 1981.

1532, les princes luthériens étaient devenus suffisamment forts pour imposer des concessions à l'empereur. À partir de ce moment-là, pour un temps, la Réforme bénéficia d'un répit. L'incapacité de Charles Quint d'agir de façon décisive contre les protestants entre 1530 et 1532 permit aux États protestants de consolider les Églises sur leur territoire. Autrement dit, le climat politique avait changé suffisamment pour que les craintes exprimées dans l'*Aufdeckung* n'aient plus eu grand sens, ce qui permet une datation assez précise du document.

2. Contenu de l'*Aufdeckung*

L'argument de base de l'*Aufdeckung* est simple et s'appuie sur une analyse théologique et historique du processus de la Réforme jusqu'en 1531. Selon cette lecture « anabaptiste » des événements, Luther a débuté le travail indispensable de Réforme d'abord en démasquant la « prostituée babylonienne », c'est-à-dire l'Église catholique romaine, puis en rédigeant plusieurs traités théologiques importants. Cependant, par son alliance avec le pouvoir politique des princes et des villes et en demeurant ainsi dans le cadre de la « synthèse constantinienne » par laquelle l'Église cherche à obtenir et à utiliser la protection de l'autorité temporelle, le mouvement « luthérien » est devenu une nouvelle manifestation de la « prostituée babylonienne ». Ce n'est qu'en suivant le Christ sans recourir au pouvoir politique que la cause de l'Évangile peut avancer sans compromission, parce que contraindre les gens à croire ou imposer la foi par des moyens politiques est une trahison qui contredit le message même de l'Évangile. La confessionnalisation, c'est-à-dire la création d'Églises sous les auspices et la protection de l'autorité civile, est de ce fait un processus dans lequel toutes les parties ont tort, et tant les Églises qui en naissent que la christianisation qui s'ensuit sont condamnées à l'échec.

Cette lecture de l'histoire particulière a un point de départ eschatologique. Marpeck partageait l'idée très répandue au XVIe siècle que la Réforme était le signe que l'histoire était entrée dans sa phase finale, ces « temps derniers et périlleux » au cours desquels le jugement de Dieu deviendrait manifeste[1].

---

1. Pour une analyse de « l'atmosphère eschatologique » chez les réformateurs et les anabaptistes du XVIe siècle, voir Claude BAECHER, *Les eschatologies anabaptistes de la Haute Vallée rhénane en débat avec les Réformateurs (1524-1535). Leurs prolongements parmi les "Frères suisses" jusqu'au XVIIe siècle.* Villeneuve d'Ascq, Presses Universitaires du Septentrion, 1998.

Dans ces « temps derniers », la « prostitutée babylonienne » s'était manifestée et tentait de séduire les vrais chrétiens, surtout à travers les nouvelles conceptions de la liberté chrétienne, ce qui ne peut guère être compris que comme une référence à la théologie de Luther. En d'autres termes, la « prostituée babylonienne » n'était plus seulement Rome. Il est clair pour Marpeck que la Réforme avait déjà mise à nu la « prostituée romaine rouge ». Ce qu'il faut dénoncer maintenant, c'est le nouveau déguisement de la prostituée.

En se référant à Ézéchiel 23 et à l'histoire des deux sœurs prostituées, Ohola et Oholiba, l'*Aufdeckung* met clairement l'Église catholique et la Réforme dans le même sac. Ce qu'Ézéchiel 23 appelle la prostitution est le fait qu'Israël et Juda aient désiré le pouvoir politique assyrien et babylonien plutôt que de se confier en Dieu. Le résultat en fut clair : la défaite politique et l'exil. Comme Israël (Ohola = Rome) a été emmené captif en Assyrie, Juda (Oholiba = la Réforme) ira à Babylone.

> Tu as suivi le chemin de ta sœur, de sorte que je mettrai sa coupe dans ta main… tu boiras la coupe de ta sœur, une coupe grande et profonde, et cela provoquera mépris et dérision parce que sa contenance est énorme (Ez 23.31-32, TOB).

La « mise à nu » de la prostituée commença avec la Réforme, mais n'alla pas assez loin, étant donné que les deux erreurs de la papauté, le baptême des enfants et la doctrine de la présence corporelle du Christ dans l'eucharistie avaient été maintenues et constituaient des éléments fondamentaux de la théologie de Luther. Ce dernier est critiqué d'un point de vue typiquement anabaptiste pour une théologie eucharistique qui fait comme si donner la communion sous les deux espèces aux laïcs suffisait à purifier une cérémonie souillée.

> Encore aujourd'hui, selon M.L., tous ceux qui mangent et boivent la chair et le sang du Christ sont de bons chrétiens, qu'ils soient des prostituées ou de la racaille, des gloutons ou des ivrognes, des joueurs, des assassins, des traîtres, des tyrans, des tricheurs ou tout autres[1].

---

1. *Aufdeckung,* p. 5. C'est nous qui traduisons à partir de la reproduction du texte dans l'article de Hans HILLERBRAND, *MQR*, janvier 1958, p. 34-47. Pour simplifier les citations, nous commençons avec la page de titre comme page 1.

Ensuite, nous arrivons directement à la Ligue de Smalkalde. L'enseignement de Luther est désigné comme responsable de la guerre des paysans[1] et, de la même manière, d'inciter les princes, seigneurs et cités à se rebeller contre l'empereur, ce qui ne manquerait pas de conduire à un bain de sang. Avec une allusion possible à la mise hors la loi de l'anabaptisme par la diète de Spire, Marpeck exhorte les « vrais chrétiens » à être patients, à ne pas résister et à être prêts à mourir si nécessaire.

Si le point de départ de cette argumentation est eschatologique, l'argumentation contre la coercition politique dans le domaine de la foi est fondamentalement christologique. Le Christ lui, était assujetti à toutes les autorités, il ne leur opposa aucune résistance, ni hier ni aujourd'hui. En d'autres mots, « il rendit à César ce qui est à César et à Dieu ce qui est à Dieu ».

Par une curieuse inversion des perspectives, Marpeck, l'anabaptiste qui aux yeux des réformateurs représentait un rejet séditieux de l'autorité civile, justifie et défend l'autorité de l'empereur. Étant donné que Charles Quint est l'autorité donnée par Dieu, il doit continuer à exercer cette autorité dans les affaires temporelles jusqu'au jugement final de Dieu. Comme Luther l'avait fait avant lui[2], Marpeck présuppose le droit des autorités politiques divinement instituées d'agir pleinement dans le domaine de leur juridiction. Pour l'anabaptiste, tout ce qui est extérieur est soumis à l'autorité temporelle, mais aucun gouvernement civil ne peut imposer la vraie foi en Christ, qui est « intérieure ». Luther lui-même en 1523 distinguait ce qui appartient à Dieu de ce qui appartient à César et refusait aussi l'idée d'imposer la foi par des contraintes extérieures. L'argumentation de Marpeck s'éclaircit : Luther, qui savait fort bien tracer la frontière entre l'autorité temporelle et spirituelle en 1523, a changé d'idée.

Contre les « soi-disant professeurs et prédicateurs évangéliques »[3], il ne peut y avoir qu'un seul argument : l'exemple du Christ crucifié,

---

1. Le soulèvement paysan (1524-25) était encore frais dans la mémoire de tous, et les catholiques s'en servaient pour des raisons polémiques pour démontrer que la Réforme était source de sédition politique. Pour se distancer de cette critique, Luther et les autres réformateurs mettaient la responsabilité de ces événements sur les anabaptistes.

2. Voir Martin LUTHER, *De l'autorité temporelle,* 1523 (*Martin Luther Œuvres*, Tome IV, Genève, Labor et Fides, 1958, p.13-41). Nous n'entrons pas dans les détails ici, mais il est clair que Marpeck fait référence à cet ouvrage de Luther et cherche à convaincre le réformateur à partir de ses propres écrits.

3. Ici, comme partout au XVIe siècle, le terme « évangélique » s'applique aux réformateurs et à leur théologie.

patient et aimant. Quiconque enseigne autrement est un antichrist, qu'il soit catholique ou évangélique. On ne peut enseigner le Christ que portant la croix, dans la patience et dans l'amour. Ceux qui n'enseignent pas ce Christ-là, aussi « évangéliques » soient-ils, tombent eux-mêmes sous le coup du jugement du Christ. Et même si les « évangéliques » se sont récemment unis dans une foi commune (la Ligue de Smalkalde), ce jugement ne peut mieux convenir à nul autre qu'à eux.

Cette menace de jugement s'appuie sur les événements récents du soulèvement paysan (1524-1525). Selon Marpeck, par le moyen de leurs écrits et de leurs enseignements, les réformateurs avaient commencé par mettre l'épée dans la main du peuple[1]. Cela conduisit à la rébellion de Coré (Nombres 16 et Jude v. 11) et à la mort. À présent ces mêmes évangéliques incitent les princes et les villes à prendre le chemin de Caïn (encore Jude v. 11), en se cachant derrière eux, ce qui ne manquera pas d'aboutir à un bain de sang pire encore que celui de la guerre des paysans. Il est intéressant de noter que l'on trouve la même critique avec le même vocabulaire dans les discussions de Marpeck avec Bucer en décembre 1531[2].

À ce moment de son argumentation contre Luther et les réformateurs, Marpeck exprime néanmoins sa reconnaissance pour ce qu'ils lui ont appris. Par leurs écrits, leurs enseignements et leur prédications, il a été libéré de la captivité des lois humaines de la papauté. Les critiques de Luther contre le catholicisme étaient vraies et devraient être acceptées telles quelles. Mais cette liberté nouvelle est devenue bientôt « la liberté de la chair » avec laquelle Marpeck n'est pas à l'aise. Ce qui manque à la prédication et à l'enseignement des évangéliques, c'est le secret de la croix du Christ et du chemin étroit. Pire encore, ceux qui enseignent le secret de la croix du Christ sont maintenant persécutés par les évangéliques qui se protègent en « s'asseyant derrière les princes, les seigneurs et les cités ».

Selon l'*Aufdeckung*, l'autorité civile est instituée par Dieu pour assurer la paix dans le domaine temporel, c'est-à-dire pour protéger

---

1. Dans un sens intéressant, l'analyse de Marpeck se trouve confirmée aujourd'hui par les travaux de l'historien allemand Peter Blickle, qui trouve les origines du mouvement paysan dans la « Réforme communale », elle-même trouvant son inspiration dans le jeune Luther et Zwingli. Cf. Peter BLICKLE, *Communal Reformation : The Quest for Salvation in Sixteenth-Century Germany*, New Jersey & Londres, Humanities Press, 1992. (Original : *Gemeindereformation. Die Menschen des 16. Jahrhunderts auf dem Weg zum Heil*, Munich, Oldenbourg Verlag, 1985).

2. *QGT VII*, p. 352. Les détails et comparaisons de cet ordre renforcent, à notre avis, l'hypothèse selon laquelle Marpeck fut l'auteur de l'*Aufdeckung*.

l'innocent et châtier ceux qui commettent le mal. En ce qui concerne la foi, l'autorité civile n'a aucun droit à régir les consciences et le seul moyen digne de convertir quelqu'un est par le pouvoir de la persuasion. Quand, comme dans le cas des tensions entre réformateurs et l'empereur, les choses ne se passent pas de manière souhaitable, le seul moyen légitime de résister est de souffrir l'injustice (à l'exemple du Christ devant Pilate).

Introduire l'autorité temporelle dans le royaume du Christ est tout simplement l'œuvre de Satan. Les réformateurs avançaient diverses justifications : il faut protéger les chrétiens lorsqu'ils sont menacés ; si personne n'aide les gouvernants à protéger l'innocent du mal, la sécurité n'existerait pas. Marpeck semble prêt à admettre ces arguments, mais seulement dans la mesure où ils s'appliquent au domaine temporel. Il n'ont rien à voir avec le royaume du Christ, et ne peuvent justifier le fait d'imposer une théologie particulière par des moyens politiques.

Si tout le monde était chrétien, un gouvernement civil deviendrait inutile, mais étant donné que tout le monde n'est pas croyant, Dieu a institué un gouvernement pour garder la paix dans les domaines extérieurs ou temporels. Pour Marpeck, le gouvernement civil tire son origine de la bonté et de la miséricorde de Dieu, et permet de préserver la paix et de protéger la propriété. Dieu a offert à tous la paix, mais tous ne l'ont pas acceptée. C'est ainsi que l'autorité civile existe pour garder la paix externe parmi ceux qui n'ont pas accepté la vraie paix de Dieu, paix qui n'a rien à voir avec la propriété et les biens temporels. En ce qui concerne le domaine temporel, les chrétiens restent soumis à l'autorité civile, même au prix de leur vie.

Cette argumentation est soutenue par une compréhension typiquement anabaptiste de la différence entre l'Ancien et le Nouveau Testament. Marpeck (avec l'aide des écrits de Schwenckfeld) y recourait aussi contre Bucer à la même époque. Dans cette manière de voir, l'épée de l'Ancien Testament, utilisée par Moïse, Josué et David, sert à maintenir la paix temporelle. Le Christ est venu donner un autre genre de paix, spirituelle et non temporelle, qui ne se défend pas contre la persécution temporelle. L'incarnation du Christ permet à la fois l'accomplissement des promesses de l'Ancien Testament et l'effusion de l'Esprit de la nouvelle alliance, donnant une paix inconnue jusqu'alors.

Les enseignements et l'exemple du Christ deviennent la clé pour comprendre la différence entre ce qui appartient à Dieu et ce qui appartient à César. Dans un contexte où les princes et les villes protestants cherchaient à justifier une rébellion politique pour avancer la cause de la Réforme, la manière dont Marpeck comprend l'autorité civile

« désarmait » le chrétien quand il s'agissait d'utiliser des moyens politiques soit pour protéger soit pour imposer une compréhension donnée de la foi. Parmi les siens, le Christ gouverne par le moyen de son Esprit, même quand il s'agit de questions extérieures ou corporelles, car le Fils de l'homme n'est pas venu pour nuire mais pour sauver.

Même s'il s'agit de protéger un ami ou un voisin, le chrétien ne peut qu'aimer, et ne pas haïr, son plus grand ennemi, car le véritable amour chrétien ne fait de mal à personne, qu'il soit un ami ou un ennemi. Si la contrainte ou la force corporelle se mêle à l'Église, la mort du Christ n'aurait servi à rien.

Nous assistons ici à un retournement de logique intéressant. À commencer par Zwingli, les réformateurs accusaient les anabaptistes d'avoir une conception séditieuse et diabolique de l'autorité civile, conception qui conduirait à l'anarchie. Marpeck connaissait bien cette critique et la renvoie contre la Réforme. Qui, dans les circonstances de 1532, contredit l'empereur ? Qui justifie le refus d'obéir à l'autorité divinement instituée si ce n'est Luther et ceux qui le suivent ?

Le pouvoir politique et l'autorité appartiennent à César, et dans ce domaine, l'autorité civile peut user de moyens de pression et de coercition. Mais là où la seigneurie du Christ est confessée, dans l'Église, les seuls moyens que l'on peut mettre en œuvre sont spirituels : c'est-à-dire la parole, l'exemple, la persuasion et l'argumentation. La seule autorité, la seule épée dont les chrétiens usent parmi eux est la parole du Christ qui enseigne clairement que les chrétiens sont serviteurs et non seigneurs.

Dans cette perspective, le pire des traitements que puisse recevoir un « hérétique » serait l'excommunication. On ne peut utiliser ni punition corporelle, ni emprisonnement, ni peine de mort quand des chrétiens sont en désaccord sur des questions théologiques ou quand des mesures disciplinaires doivent être prises. À l'inverse, le processus de confessionnalisation que dénonce Marpeck signifie clairement que les hérétiques (anabaptistes) deviennent des criminels et que les différends entre chrétiens doivent être résolus politiquement et militairement. L'*Aufdeckung* rejette une telle stratégie. Faisant écho au Luther de 1523, Marpeck affirme que parmi les chrétiens il n'y a nul besoin d'une autorité civile : « La fraternité chrétienne consiste en patience et amour et n'a aucun besoin ni de seigneurs ni de sujets »[1].

1. « ... dann die bruederschafft in Christo/ist gedult und lieb/welche weder Obrer noch underthan nicht begert/noch hat. ... », *Aufdeckung*, 19.

En approchant de son terme, l'*Aufdeckung* propose sa propre lecture de l'histoire de l'Église, lecture qui correspond aussi à la conception eschatologique à laquelle nous avons déjà fait référence. Selon cette perspective historique particulière, l'Église ancienne, c'est-à-dire de l'époque apostolique à Constantin, n'utilisa ni force politique ni épée. Si quelqu'un méritait une sanction disciplinaire, et se refusait à écouter l'admonestation de la communauté, cette personne était considérée comme un païen ou un incroyant, mais n'était pas punie par l'autorité civile. Cependant, (et ici s'introduit à nouveau l'eschatologie) au IVe siècle, le pape, au nom du Christ, épousa le Léviathan, c'est-à-dire l'autorité temporelle, et l'antichrist naquit. Ce « secret d'iniquité » n'avait été révélé que récemment, en même temps que le nouvel antichrist (les prédicateurs évangéliques et leur union avec les princes contre l'empereur). En référence une fois de plus à la persécution des anabaptistes, Marpeck constate que cette terrible bête (l'antichrist) fait mieux en matière de tuerie d'innocents que le pire des gouvernement païens.

Cette lecture historico-eschatologique se poursuit et se termine par une interprétation de la parabole de l'ivraie (Matthieu 13.24-43). Après avoir cité l'ensemble de la parabole et de son interprétation, Marpeck en tire une leçon concernant les rapports entre l'Église et le pouvoir politique. Le Christ est venu pour sauver, pas pour détruire, ce qui signifie que tous, jusqu'au dernier jour, devraient avoir la possibilité d'être sauvés. En d'autres termes, le temps qui reste jusqu'au jugement (le temps entre l'incarnation et le retour du Christ) est un temps durant lequel la repentance devrait être offerte à tous. Le rôle du gouvernement civil est de juger des questions extérieures (temporelles) et contemporaines, mais pas de celles concernant l'avenir et « l'intérieure » (c'est-à-dire la foi et le salut). Sinon la grâce de Dieu est mise de côté et l'autorité civile usurpe le rôle de juge qui n'appartient qu'à Dieu.

Il est aussi possible de lier cette argumentation « eschatologique » à un thème luthérien, celui de la justification par la foi. Pour Marpeck, avoir la foi, c'est se confier en Dieu et non en d'autres pouvoirs, y compris l'autorité civile. En dehors de la foi, rien n'est pur, rien n'est acceptable à Dieu. Ainsi, la défense d'une cause spirituelle s'opère aussi par la foi et la confiance, c'est-à-dire à travers les moyens très concrets que sont la patience et le refus d'imposer son point de vue. Ou bien on met sa confiance dans la parole de Dieu et on laisse cette parole justifier et défendre la foi, ou bien il n'y a pas de foi. « En Christ, par la foi, la parole est l'épée utilisée par les chrétiens pour juger ». Utiliser la coercition politique c'est, pour Marpeck, ne pas avoir confiance dans la puissance de Dieu pour justifier et défendre la cause de son peuple.

3. Utilisation de l'eschatologie dans l'*Aufdeckung*

Nous avons passé un certain temps à restituer le contexte dans lequel notre document a été rédigé ainsi que son raisonnement théologique. Cette attention portée au contexte global nous semble importante pour plusieurs raisons. D'abord, simplement sur le plan historique, cet épisode est très peu connu et mérite d'être raconté. Il nous rappelle ensuite que tout discours théologique (ou eschatologique) se produit dans une situation précise pour répondre à des questions spécifiques.

Marpeck faisait partie d'une minorité et était menacé de persécution. Dans cette situation il dénonce ce qui lui paraît mauvais et préconise la patience (la non-violence) basée sur l'exemple du Christ comme attitude à adopter. La ressemblance de ce contexte à la situation sociopolitique de l'Apocalypse biblique ne garantit pas une réflexion eschatologique juste de la part de Marpeck. Néanmoins, elle nous incite à prendre très au sérieux sa pensée.

Regardons maintenant de plus près le discours eschatologique de l'*Aufdeckung* pour nous interroger sur sa pertinence éventuelle pour notre propre démarche théologique. Nous diviserons nos remarques en cinq parties qui correspondent plus ou moins à l'utilisation de l'eschatologie par Marpeck lui-même.

a. Nous vivons dans les derniers temps

Comme Luther et bien d'autres, Marpeck attribue beaucoup d'importance aux événements du XVIe siècle. Il est conscient de vivre « les derniers temps ».

> Que Dieu donne grâce pour la véritable connaissance à tous ceux qui cherchent la vérité de tout cœur dans ces derniers temps dangereux qui arrivent maintenant selon la parole du Seigneur (Mt 24)… Viens Seigneur, raccourcis le temps à cause de tes élus[1].

Si Marpeck accorde ici une certaine importance aux événements de son époque comme étant signes de la fin, nous savons aussi à partir d'autres écrits que pour lui la période des derniers jours date de l'incarnation[2]. Même s'il n'hésite pas à nommer de manière précise l'anti-

---

1. *Aufdeckung*, p. 2. Les citations bibliques du XVIe siècle font référence seulement aux chapitres et non aux versets.
2. Pour lui (Marpeck), … « les derniers jours ont commencé avec la naissance du Christ », BAECHER, *op. cit.*, p. 542.

christ, il n'entre pas dans une spéculation détaillée qui lierait telle personne à tel événement[1].

Il nous semble que Marpeck utilise l'eschatologie biblique de façon pertinente et intelligente. Il n'hésite pas à appliquer sa lecture apocalyptique aux événements concrets qu'il est en train de vivre mais, en même temps, il n'en a pas une utilisation « gnostique », c'est-à-dire une eschatologie se concentrant surtout sur les « secrets » de la fin, sur la recherche de dates, de chronologies, de personnes, ou d'événements. Comme nous l'avons remarqué, Marpeck prétend que depuis l'incarnation, nous vivons « les derniers temps ». Autrement dit, la venue du Christ et la promesse de son retour réorientent de façon fondamentale notre regard sur l'histoire et sur la vie. On pourrait rapprocher cette utilisation de deux auteurs du XXe siècle.

1) D'abord Jacques Ellul :

> …en tant que chrétien, il est essentiel de comprendre qu'en effet chaque moment vécu est, non pas historique, mais apocalyptique. Si nous prenons au sérieux la chute, le départ d'Éden, ce qui implique la présence constante de la mort – et si nous prenons au sérieux la promesse du retour du Christ, dont nous ne savons ni le jour ni l'heure, nous sommes bien obligés de considérer l'instant présent comme apocalyptique, c'est-à-dire comme dernier avant le jugement et le pardon. Un chrétien ne peut avoir d'autre vision du monde où il vit qu'une vision apocalyptique, et sachant très bien que, historiquement, ce n'est pas obligatoirement la fin du monde, il doit agir à chaque instant comme si cet instant était le dernier[2].

Autrement dit, l'incarnation, la mort et la résurrection du Christ, ainsi que la promesse de son retour réorientent de façon fondamentale la manière de comprendre et de vivre dans l'histoire.

2) Ensuite, le théologien baptiste américain James McClendon, qui semble aller dans la même direction.

Pour lui, les concepts eschatologiques, comme par exemple le règne de Dieu, sont des images qui dirigent et orientent notre pensée. Notre

1. « Pourtant l'auteur (Marpeck/*Aufdeckung*) n'entre pas dans les précisions, expliquant dans les détails les différents symboles présents », BAECHER, p. 543

2. Jacques ELLUL, *Présence au monde moderne*, Lausanne, Presses Bibliques Universitaires, 1988, p. 36.

regard sur la vie et l'histoire est ainsi conditionné par la description biblique de la fin vers laquelle nous allons. La vision biblique du règne de Dieu est une « image de la fin » (« end-picture »). C'est à la fois là où nous allons terminer et le but ou l'intention qui dirige tout ce que nous faisons[1]. Cette image de la fin est essentiellement la vision de la victoire finale de Dieu par le moyen de l'agneau immolé plutôt qu'une vidéocassette décrivant de façon détaillée le déroulement de l'histoire.

b. L'antichrist est à l'œuvre dans les derniers temps

Puisque Marpeck croit vivre les derniers temps, il constate la présence de l'antichrist et n'hésite pas à le nommer.

> Il serait inutile d'apporter quelques contradictions à la rouge prostituée romaine, déjà dévoilée, qui pendant longtemps s'est faussement prétendue être l'épouse la plus élevée, mariée au Christ, ainsi trompant et séduisant elle-même et d'autres avec sa prostitution[2].

> … le dragon… s'est longtemps caché sous la fausse apparence de la femme et de l'épouse du Christ, trompant le monde entier…[3]

Notre auteur ici n'invente rien, il est tributaire de toute une tradition médiévale de lecture de la Bible.

> Les anabaptistes partageaient l'orientation des vaudois et des hussites, mais également des réformateurs comme…, Mélanchthon et Œcolampade d'une identification de la papauté à l'Antichrist[4].

Cependant, cette identification de l'antichrist à une institution présente (la papauté selon Marpeck) depuis déjà bien longtemps pourrait nous apprendre quelque chose d'important. Pour le dire autrement : si l'antichrist est déjà à l'œuvre depuis des siècles, on peut constater sa

---

1. « The approach I will make… sees the concept of God's rule in prophet and apostolic thought as an instance of 'picture-thinking', thinking which is governed by a depiction of the end towards which everything tends ».
« The biblical vision of God's rule… is an 'end-picture', where end means both aim and limit of life. The end is where we end up, it is also the present intention or purpose that steers our course ». James W. McClendon, Jr, *Systematic Theology : Doctrine* (volume II), Nashville, Abingdon Press, 1994, p. 66.
2. *Aufdeckung*, p. 3
3. *Aufdeckung*, p. 4
4. Baecher, p. 628.

présence tout au long de l'histoire sans toutefois être obligé de croire que c'est la fin « chronologique » de l'histoire. L'historien moderne qui s'est penché attentivement sur les nombreuses identifications trop précises d'une personne à l'antichrist depuis bientôt deux mille ans[1] y a appris l'humilité. Il apprécie d'autant plus l'utilisation sérieuse et prudente des textes bibliques par quelqu'un comme Pilgram Marpeck.

Cette perspective est renforcée par la tendance de Marpeck à identifier « la prostituée » et « l'antichrist » à des attitudes et des pratiques plutôt qu'à une seule personne à un moment précis.

c. L'antichrist est essentiellement une attitude et une pratique à l'égard du pouvoir

Les citations suivantes nous montrent clairement la façon dont l'*Aufdeckung* conçoit l'antichrist.

> Dans l'Église ancienne, au temps des apôtres, jusqu'à l'empereur Constantin, il n'y avait pas de force corporelle ni de glaive parmi les chrétiens… Il n'y avait que le glaive de la parole, celui qui ne voulait pas l'écouter était tenu pour un païen[2].

> Mais le pape, serviteur de l'Église, s'est alors marié avec le Léviathan, c'est-à-dire avec le pouvoir temporel, sous l'apparence du Christ. C'est alors que l'Antichrist a été fait et est né[3].

Tous les chrétiens ne seront pas d'accord ni avec cette analyse historique ni avec les conclusions théologiques qui en sont tirées. Néanmoins depuis son origine au XVIe siècle, la tradition anabaptiste continue à nourrir une réflexion concernant la problématique du pouvoir et ses liens avec des notions théologiques fondamentales comme la croix[4] et avec l'éthique chrétienne[5].

---

1. Voir Walter KLAASSEN, *Armageddon and the Peaceable Kingdom,* Scottdale, Herald Press, 1999.
2. *Aufdeckung*, p. 20.
3. *Aufdeckung*, p. 21.
4. Voir John H. YODER, *Jésus et le politique*, Lausanne, PBU, 1984.
5. Voir Frédéric DE CONINCK, *La justice et la puissance,* Québec, La Clairière, 1998. Le travail de Frédéric de Coninck illustre l'importance et la pertinence de tenir compte à la fois du contexte des textes bibliques et de notre propre contexte.

Cette manière d'identifier l'antichrist à une attitude et une pratique du pouvoir permet aussi une lecture de l'histoire capable de discerner la présence du mal à toute époque et non seulement pendant la période finale.

> Mais si, comme auparavant, un nouvel Antichrist va naître ou être fabriqué, j'espère que le Seigneur préviendra à cause de Lui-même pour que les siens ne deviennent pas des truies qui ravagent le vignoble de Dieu…[1]

L'« antichrist », c'est-à-dire ce (ou celui) qui est contre le Christ, peut donc paraître à tout moment de l'histoire. À l'Église de le discerner à chaque période de l'histoire, plutôt que de chercher la « bonne chronologie » de la fin de cette histoire. Ce discernement constant devrait aussi permettre des réponses éthiques appropriées.

d. Lien entre eschatologie, christologie et éthique

Il existe ici un lien évident entre l'incarnation (la première venue) du Christ et son retour. Celui qui revient est celui qui est déjà venu. Nous savons donc à quoi il ressemble. Celui qui revient est vainqueur et juge. Il aura le dernier mot de l'histoire.

Celui qui revient a déjà vaincu par sa mort et sa résurrection. Sa manière de vaincre, de remporter la victoire devient notre manière de vaincre. La croix est à la fois le moyen de cette victoire et le guide de notre façon d'agir aujourd'hui (cf. Philippiens 2). Les moyens utilisés par les disciples, quelle que soit la situation dans laquelle ils se trouvent, doivent correspondre à la fin qu'ils attendent : le moment où la victoire du Christ sur la croix deviendra une évidence universelle et cosmique. La victoire du Christ, et les moyens utilisés pour la remporter, deviennent garants et modèles de notre victoire. En d'autres mot, la fin « justifie » ou « éclaire sur le choix » des moyens.

Que la croix est le moyen de cette victoire est évident pour notre auteur.

> Mais notre époux a vaincu le monde et sa méchanceté par sa croix et sa mort (Jn 16) dans lesquelles nous aussi nous vainquons et remportons la victoire… sous la croix, dans la simplicité de la foi[2].

---

1. *Aufdeckung*, p. 21-22.
2. *Aufdeckung*, p. 3.

Il existe une correspondance et une continuité entre le Christ mort et ressuscité et celui qui reviendra. Sur cette correspondance, Marpeck construit deux types de raisonnement. D'abord elle permet un regard critique sur ce qui se passe autour de lui. Le langage chrétien ou pieux ne suffit pas. C'est l'attitude fondamental envers le pouvoir et un comportement conforme à Jésus qui devient le critère de discernement.

> Je ne voudrais poser aucun argument contraire aux prétendus évangéliques, à leurs enseignants et prédicateurs, à part celui-ci : le Christ crucifié, patient et aimant. Ceux qui ne le prêchent pas et enseignent le contraire sont des antichrists (*widerchrist*), qu'ils soient anciens ou nouveaux papes ou antichrists (*antichrist*)[1].

> Malheur, malheur, à cause de la doctrine et du royaume de l'Antichrist qui se montre et doit se révéler partout (2 Tm 3). Regardez et écoutez, vous tous qui avez des yeux pour voir et des oreilles pour entendre. Qui sont les séducteurs et les rebelles ? L'agneau de Dieu ou la bête cruelle[2] ?

> Mais celui qui n'utilise pas bien le glaive, qui protège la méchanceté, extirpe la justice, aime le mensonge et persécute la vérité, tu as à le supporter, à le convertir seulement par l'exhortation et à laisser la vengeance à Dieu, dont il est le serviteur. Le Christ n'a commandé aucun autre glaive ni résistance aux siens. Celui qui enseigne autre chose est un antichrist, un menteur, et un séducteur[3].

Ici l'eschatologie et la christologie permettent à Marpeck une lecture critique des événements dont il est témoin. Cependant la tentation a toujours été là : face à l'antichrist les chrétiens sont tentés de redresser la situation par des moyens autres que la croix et la patience. Ainsi, ce regard eschatologique et christologique permet à l'*Aufdeckung* de prôner une attitude bien précise de la part des lecteurs. Comme il y a continuité et correspondance entre le Christ incarné et le Christ qui revient, il existe continuité entre Jésus et ses disciples, entre le Christ et le corps du Christ. C'est pourquoi le chrétien peut s'attendre au rejet des autres.

---

1. *Aufdeckung*, p. 5-6.
2. *Aufdeckung*, p. 7-8.
3. *Aufdeckung*, p. 8.

Le petit agneau, le Christ, devra souffrir et être mis à mort jusqu'à la fin du monde[1].

Cependant, en dépit de ce rejet possible, les chrétiens ont à suivre cet agneau[2]. Les citations suivantes illustrent ce lien entre eschatologie, christologie et éthique.

Ne désirez rien de mal à l'égard de vos ennemis, faites-leur et souhaitez-leur plutôt du bien, et cela de tout cœur. Vous n'avez *qu'un seul juge qui est au ciel*[3].

Il est quand même permis d'offrir une petite résistance, c'est-à-dire mettre son dos sous *la croix du Christ* et la porter vraiment, avec *douceur, amour* et *patience* (Mt 11) comme *l'agneau de Dieu*[4].

C'est pour cela que le Christ dit : « *prenez courage, j'ai vaincu le monde* » (Jn 16). La victoire terrestre n'est pas une véritable victoire. Il arrive toujours quelqu'un de plus fort qui va vaincre et régner.

Les vrais chrétiens n'utilisent pas la force ou le magistrat pour dominer et régner sur les gens, qu'ils soient méchants ou justes. *Ils se laissent plutôt dominer et contraindre dans la patience et l'amour jusqu'à la fin du monde*[5].

Cherchons plutôt à rester chrétiens, à patienter, et nous maintenir dans la victoire de l'agneau, pour la louange de notre Père et du Christ, à qui seul appartient toute seigneurie, force et majesté, toute louange et gloire, maintenant et à jamais, Amen[6].

e. Le regard eschatologique produit un espace d'engagement pour le présent

Du fait de la persécution intense et de l'attitude de séparation d'avec le monde qui s'ensuivait, il n'est pas toujours facile d'utiliser la pensée anabaptiste du XVIe siècle pour construire des modèles théologiques et

---

1. *Aufdeckung*, p. 5.
2. Cf. J. YODER, *op. cit*, la notion de « la guerre de l'agneau », p. 216-220
3. *Aufdeckung*, p. 8.
4. *Ibid.*
5. *Aufdeckung*, p. 25.
6. *Ibid.*

éthiques pour l'engagement chrétien au monde. Je vois dans le cas de Marpeck une exception intéressante. Il a été fonctionnaire et impliqué dans la vie de la cité (à Rattenberg, à Strasbourg et à Augsbourg). Autrement dit, il n'a pas compris sa foi chrétienne comme quelque chose qui interdit toute participation à la vie de la société.

La critique eschatologique exercée par Marpeck à l'encontre de la vision politique de la Réforme n'est pas sans intérêt pour nous aujourd'hui. Sa pensée eschatologique ne nous fait pas fuir le monde. Au contraire, elle crée un espace important et nécessaire dans l'histoire « jusqu'à la fin ». Le temps qui reste, c'est le temps de l'annonce de l'Évangile. Pendant ce temps, les chrétiens ont à vivre comme le Christ. Pendant ce temps, il existe un espace légitime pour le pouvoir civil. Ce pouvoir civil a comme tâche de protéger les innocents et de punir les méchants, c'est-à-dire de rendre possible la vie en société. Mais il n'a pas à régir les consciences, à dicter les convictions personnelles des citoyens. La manifestation de l'antichrist pour Marpeck, c'est justement lorsque le politique se justifie par le religieux ou privilégie une forme du religieux en privant les uns ou les autres de la possibilité d'exprimer leurs convictions. Si la force est nécessaire pour que la société existe et fonctionne, cette force ne peut jamais s'appliquer pour promouvoir les convictions religieuses d'un groupe particulier.

Le rôle du politique, c'est donc d'assurer cet espace libre, où les uns et les autres peuvent s'exprimer et défendre leurs convictions.

> Nos contradicteurs doivent bien le remarquer : *dans ce temps* le Seigneur Christ est un Sauveur et non pas quelqu'un qui détruit. Tous les hommes peuvent êtres sauvés jusqu'au jugement dernier, sinon il n'y a pas de possibilité de repentance. Jésus commande à ses serviteurs en tant qu'hommes de juger les affaires extérieures du moment et non pas les affaires futures et intérieures. Autrement la grâce de Dieu serait raccourcie et l'ivraie déjà ramassée. Sinon, pourquoi le Christ aurait-il raconté cette parabole ? Aussi longtemps que l'homme est dans cette vie temporelle, aussi mauvais qu'il soit, il peut être converti à l'amélioration par la grâce du Christ et par le témoignage de patience et d'amour des siens. Car il y a douze heures dans la journée, comme le Christ lui-même le dit (Jn 11). S'il ramassait déjà, la journée serait trop courte. Ainsi, le Christ doux et humble a commandé aux siens d'apprendre de lui (Jn 13, Mt 11) et de donner à l'homme tout son temps[1].

---

1. *Aufdeckung*, p. 23.

Puisque le chrétien « connaît » la fin de l'histoire, il peut vivre sans se sentir obligé d'assurer cette fin par les moyens de l'antichrist. Ce n'est pas une attitude de passivité et de résignation, ce n'est pas un échappatoire, c'est vivre le présent en fonction de celui qui est déjà venu et qui reviendra. C'est croire à la toute-puissance de Dieu. C'est vivre le présent en vue de la fin. C'est croire qu'en vivant comme Jésus[1], nous faisons ce qu'il y a de meilleur pour le monde qui est création de Dieu.

Neal BLOUGH

Directeur du Centre mennonite
d'études et de rencontre,
professeur d'histoire de l'Église
à la Faculté libre de théologie évangélique

1. « Vivre comme Jésus » ou « suivre le Christ » sont des expressions qui renvoient à l'idée de l'imitation du Christ. Pour expliciter le sens de ces termes, nous renvoyons à J. Yoder : « Il n'y a qu'un domaine où le concept d'imitation tient et prend tout son sens : dans la signification sociale concrète de la croix en confrontation avec les ennemis et le pouvoir. Il tient ainsi d'autant mieux qu'on le retrouve partout dans le Nouveau Testament et qu'il est mis en relief par l'absence de parallèles dans d'autres domaines. La domination cède le pas au service, le pardon engloutit l'hostilité. Ainsi seulement nous sommes fidèles à l'injonction d'"être comme Jésus" » (*op. cit.*, p. 124).

Le jugement eschatologique des puissants chez les anabaptistes de la mouvance « Frères Suisses » au XVIe et XVIIe siècles

Si nous nous intéressons au rapport qu'ont entretenus les « Frères Suisses » avec les autorités humaines – ceux que l'on appelle les puissants – c'est que la littérature apocalyptique qui sert de base à leur eschatologie interfère directement sur la définition qu'ils donnent des autorités, et donc sur leurs relations avec elles[1]. Nous nous intéresserons à ce rapport, mais également au changement majeur qui eut lieu chez ces anabaptistes pacifiques au XVIIIe siècle, sous l'influence du piétisme.

Notre sujet est évidemment lié à la conception que les Frères Suisses ont de l'histoire et de l'Antichrist ; cette conception est celle de toute la Réforme naissante et nous l'avons déjà étudiée dans d'autres travaux auxquels nous renvoyons[2].

---

1. D'autres ont analysé la question de l'État totalitaire dans l'Apocalypse, par exemple Oscar CULLMANN dans *Dieu et César. Le procès de Jésus, Saint-Paul et l'Autorité, L'Apocalypse et l'État totalitaire*, Neuchâtel, Delachaux et Niestlé, 1956. Le thème apocalyptique de l'État idolâtre complète la vision partiale d'une autorité « servante de Dieu » définie en termes trop positifs. De nos jours, les travaux du professeur d'exégèse biblique à New York, Walter Wink se rapprocheraient des positions des Frères Suisses, cf. son article « La bête de l'Apocalypse, la culture de la violence », in *Concilium* 273, 1997, p. 97-104. On se référera plus généralement aux travaux de John H. YODER, *Jésus et le politique, la radicalité éthique de la croix*, P.B.U., 1984 et à ceux de Frédéric DE CONINCK, *La justice et la puissance, dire et vivre sa foi dans la société aujourd'hui*, Collection Sentier, Québec, La Clairière, 1998.

2. Claude BAECHER, *Les eschatologies anabaptistes de la Haute Vallée rhénane en débat avec les Réformateurs (1524-1535). Leurs prolongements parmi les "Frères Suisses" jusqu'au XVIIe siècle*, Villeneuve d'Ascq, Presses Universitaires du Septentrion. [*suite de la note page suivante*]

1. Qu'entend-on par « Frères Suisses » ?

John H. Yoder, James Stayer et Arnold C. Snyder, entre autres, ont essayé d'en donner une définition[1]. Les « Frères Suisses » ont leurs racines dans le mouvement qui a commencé en 1524-1525 à Zurich dans la logique de la pensée des anabaptistes Grebel et de Mantz. Il faut souligner que « suisse » ne désigne pas l'origine géographique des membres – les communautés ont été aussi bien badoises qu'alsaciennes, etc. – mais la référence à l'institution de la pratique du baptême d'adultes après confession de leur foi telle qu'elle a été pratiquée à Zurich, en Suisse, en 1525[2]. D'autre part, ces assemblées chrétiennes se distinguent également du mouvement de communauté totale des biens connu sous le nom de houttérien. Enfin, elles étaient généralement d'accord avec les articles de la Confession de Schleitheim (1527)[3], dans leur insistance sur la séparation d'avec la mentalité mondaine, le baptême d'eau comme signe extérieur de l'engagement à vivre le projet d'une Église séparée de l'État, la Cène comme célébration de l'unité de la communauté, la discipline fraternelle comme moyen de garder la pureté ; de plus ils contestaient la légitimité de l'usage du glaive et du serment pour ceux qui professaient la foi dans le Christ révélé dans la Bible. Par la suite, d'autres marques distinctives furent ajoutées concernant la conduite et les tenues vestimentaires. Leur mouvement a traversé l'histoire comme l'une des composantes historiques du mouvement mennonite contemporain, non sans avoir subi de nouvelles influences importantes comme nous le verrons avec le piétisme.

---

2. [*début de la note page précédente*] Voir également notre article, « Anabaptismes naissants (1525-1535) et millénarismes », in *Formes du millénarisme en Europe à l'aube des temps modernes*, Actes du colloque réuni par Jean Raymond Fanlo et André Tournon, Marseille, 10-12 septembre 1998, Association Renaissance, Humanisme, Réforme, n° 25, Paris, Editions Honoré Champion, 2000, 480 pages.

1. Cf. James M. STAYER, « The Swiss Brethren : An exercise in historical definition », *Church History*, Juin 1978, p. 174-195 précédé par son article allemand « Die Schweizer Brüder. Versuch einer historischen Definition », *Mennonitische Geschichtsblätter*, Neue Folge n° 29, 1977, p. 7-34.

2. On se repportera à la discussion du sujet par Arnold SNYDER, « The Confession of the Swiss Brethren in Hesse, 1578 », in *Anabaptism Revisited*, éd. Walter Klaassen, Essays on Anabaptist/Mennonite Studies in honor of C.J. Dyck, Scottdale, Herald Press, 1992, p. 31-32.

3. On lira la traduction annotée que nous avons faite du document dans *L'affaire Sattler*, Montbéliard / Méry-sur-Oise, Éditions mennonites / Éditions Sator, 1990, p. 41-59.

Selon Stayer « ils avaient un ardent sens apocalyptique..., ils ne versaient pas dans le chiliasme et n'adoptèrent pas la communauté totale des biens... ». Ils croyaient en une dynamique « œcuménique anabaptiste ».

L'anabaptiste Marpeck qui appartenait également à ces communautés a dénoncé certaines d'entre elles comme étant une « secte dangereuse et corrompue ». Selon un document présent dans le *Kunstbuch*, leur erreur était que leurs adhérents « cherchaient le Christ en dehors du cœur, dans les Écritures et autres créatures humaines ». Nous reconnaissons l'attention typiquement marpeckienne de la tension intérieur/extérieur, ne privilégiant pourtant jamais l'intériorité seule, ce que firent les cercles plus spiritualistes[1]. Marpeck fut souvent cité parmi les anabaptistes dans les années 1580.

Les communautés anabaptistes constituèrent plus une mouvance qu'une dénomination cloisonnée. John H. Yoder fait ressortir ainsi une originalité de ce mouvement des Frères Suisses au XVIe siècle : « Il a constitué un mouvement capable de définir le statut de ses membres et le contenu de ses croyances, sans hiérarchie traditionnelle, sans magistrats ni théologiens »[2].

Pour l'historien Stayer, lorsque le principe de l'attente eschatologique s'est estompé, les Frères Suisses sont passés de la radicalité à la conception du martyre comme « célébration du mariage » spirituel. Ce moment est difficile à situer. Stayer le situe à un stade très ancien lorsqu'il compare par exemple les premiers traités de Marpeck avec ses écrits postérieurs. En effet, une fois à Augsbourg, Marpeck enseignera à éviter d'offenser les personnes qui sont en position d'autorité[3]. Stayer est aussi attentif au passage d'un premier stade, qu'il identifie à l'imitation de l'Église de Jérusalem à celui de l'imitation de l'Église après la première dispersion. Hans-Jürgen Goertz parlera d'un passage à un « non-conformisme conforme »[4].

---

1. Voir à ce sujet les travaux de Neal BLOUGH, *Christologie anabaptiste, Pilgram Marpeck et l'humanité du Christ*, Labor et Fides, 1984, par ex. p. 47ss, 155ss.

2. Cf. John H. YODER, « Les Frères Suisses », dans *Strasbourg au cœur religieux du XVIe siècle*, Société Savante d'Alsace et des régions de l'Est, Collection Grandes Publications tome XII, Librairie Istra, Strasbourg, 1977, p. 491-499. À partir de 1648, la désignation *« suisses »* se référait plus spécifiquement aux vagues d'immigrations venant de la région zurichoise puis bernoise. Yoder désigne ces anabaptistes comme *« ecclésiaux »* pour les distinguer des *« spiritualistes »*.

3. James STAYER, « The passing of the Radical Moment in the Radical Tradition », dans *Mennonite Quarterly Review* (MQR), January 1997, vol. LXXI, n° 1, p. 149.

4. STAYER, *The passing...*, p. 152.

Pour notre part, sans nier qu'il y ait eu une évolution si précoce, mais étant attentif à la permanence de certaines doctrines particulières influencées par la pensée biblique apocalyptique entre 1560 et 1700, nous sommes frappés par l'ampleur des changements qui ont eu lieu au passage du XVIIIe siècle, précisément dans le rapport aux puissants. Nous pensons pourtant, contrairement à Stayer, que même l'entrée dans « le temps de la confessionnalisation » n'avait pas encore gommé certaines caractéristiques de ces doctrines présentes au début de l'anabaptisme. Trois d'entre elles sont à notre sens révélatrices : la relation aux puissants, une conception du jugement divin à l'égard de ces derniers et l'attachement des anabaptistes Frères Suisses au renouvellement par l'Esprit Saint, force permettant précisément un attachement radical aux exigences du Sermon sur la montagne[1].

Les développements qui suivent cherchent à aborder ce que pouvait être leur conception de l'origine des autorités humaines et du jugement des puissants présidé par le Christ, dans une perspective apocalyptique.

2. Le rapport aux autorités et aux puissants

Les puissants du début du XVIe siècle furent bien entendu les Conseils de la ville pour les villes libres, les seigneurs, les magistrats, mais aussi les grands princes de l'époque que sont François Ier qui, à en croire Denis Crouzet, se sentait investi du rôle de vicaire du Christ, et Charles Quint qui, bien qu'empereur du Saint Empire romain germanique, ne jouissait en réalité que d'un pouvoir relatif dans l'espace allemand.

Les travaux de Stayer ont montré que les attitudes des anabaptistes envers ces autorités n'étaient pas uniformes[2]. Toutefois, l'attitude générale représentative des Frères Suisses était, pensons-nous, très proche et ce, durant près de deux siècles, de celle énoncée par un spiritualiste du

---

1. Bien entendu, cette obéissance a toujours été bancale et ambivalente, au XVIe siècle aussi, mais dans la perspective anabaptiste ce n'est pas une raison suffisante pour qu'elle ne doive être entière et sincère, liant les chrétiens dans une solidarité disciplinée. Ici, la notion plus mystique d'incorporation au Christ entre en jeu. Dans cette perspective, penser que les impératifs éthiques n'auraient qu'une portée sociale future est une hérésie. L'obéissance est une possibilité historique et la souffrance subie dans cette obéissance est normale dans l'économie présente.

2. James STAYER, *Anabaptists and the Sword*, Coronaro Press, 1972, nouvelle édition incluant *« Réflexions et rétractations »*, 1976/2 et 1979/3.

nom de Sebastian Franck[1]. Nous le choisissons également pour sa pensée plus élaborée, précisée d'une manière disséminée dans ses très nombreux écrits. Bien sûr, Franck, étant spiritualiste, n'était pas en faveur d'une réforme de type anabaptiste. Mais comme les Frères Suisses, il était un chrétien pacifiste et faisait largement usage des textes apocalyptiques, y compris l'Apocalypse d'Esdras (4 Esdras), document qui semble également important pour l'anabaptiste Sattler, comme en témoignent les deux citations qu'il en fait dans sa lettre aux anabaptistes de Horb. Nous pensons que l'approche de Franck présente de grandes ressemblances avec la conception des autorités qui a généralement été celle des Frères Suisses. Il ne peut être question de dépendance de l'anabaptisme par rapport aux écrits de Franck, du moins pas durant les toutes premières années ; nous pensons plutôt que Franck puisait aux mêmes sources apocalyptiques que certains des premiers anabaptistes comme Michaël Sattler.

Si l'on étudie le rapport à la littérature apocalyptique, il devient évident que ni chez Franck, ni pour les Frères Suisses, pas même à Schleitheim, il n'est question d'un dualisme de principe entre le monde et l'Église, une séparation absolue entre l'autorité et l'Église. Dans la littérature apocalyptique, une autorité n'est véritablement diabolisée qu'à partir du moment où elle fait mettre à mort injustement des personnes, en l'occurrence ceux qui sont fidèles au Dieu biblique ou au Christ. Ainsi ce qui est en cause n'est pas l'autorité dans son essence, mais une certaine conception de cette autorité et plus particulièrement la manière dont elle exerce le pouvoir. Répétons-le : il ne s'agit pas initialement d'une vision séparatiste du monde. Nous n'oublions pas que Schleitheim répond à la mise à mort par noyade de l'anabaptiste Félix Mantz à Zurich et que le premier congrégationalisme zurichois était non-séparatiste. D'autre part, la littérature apocalyptique souligne bien que les moyens de la lutte contre un État qui met à mort pour motif de religion sont le témoignage, la non-coopération à ce qui est considéré comme le mal, l'assurance que le Christ avec ses moyens propres remportera une victoire totale sur les puissances d'oppression. La question qu'il s'agit de poser est celle de savoir – à partir de la littérature apocalyptique biblique – quels sont les moyens prescrits pour lutter contre l'autorité qui s'arroge le droit de vie

1. À son sujet, on lira les travaux de André SÉGUENNY, « Sources du spiritualisme d'après la Chronica de Sebastian Franck » dans *Les dissidents entre l'humanisme et le catholicisme*, Baden Baden, 1983 et « Sebastian Franck et la philosophie religieuse ; essai et définition », dans *Archiv Für Geschichte der Philosophie*, mars 1978, p. 293-313.

ou de mort injustement[1]. Le moyen du recours à la seule Parole de Dieu est fréquemment évoqué dans les écrits apocalyptiques[2] : il n'y aura, dans les conditions d'un État qui persécute et use des moyens de mise à mort, pas de réconciliation possible sans repentance, et pas de repentance

---

1. Ainsi le développement de John Yoder : « Le Nouveau Testament exprime suffisamment clairement, et tous les exégètes sont d'accord à ce sujet, que le triomphe final sur le mal ne sera pas provoqué par des moyens humains ou politiques. L'agent dans le jugement n'est pas l'Église, parce que celle-ci souffre de manière non-résistante, mais les deux témoins ont une force semblable à celle de Moïse et Aaron devant les mages d'Égypte et Pharaon (notez les thèmes de patience et d'endurance dans Ap 6.9-11, 13.10 ; 14.12). Cet agent ne sera pas non plus l'État, puisqu'il est destiné aux jugements divins à l'intérieur de l'Histoire ; en fait le roi ou l'État qui refuse de manière de plus en plus démoniaque la domination du Christ devient l'ennemi principal de Dieu, l'Antichrist. L'agent divin est sa propre Parole miraculeuse, l'épée sortant de la bouche du Roi des Rois et du Seigneur des Seigneurs, chevauchant le cheval blanc (Ap 19). Cet accent a déjà été celui de Luther, en ses débuts, voulant faire asseoir sa réforme par « la Parole seule », comme il le développe dans son traité *Sincère admonestation à tous les chrétiens afin qu'ils se gardent de toute émeute et de toute révolte* (1522). Mais Luther n'excluait pas le recours au prince pour battre la papauté. Comme cela fut toujours le cas depuis les patriarches et plus particulièrement depuis la croix du Christ, le propre de l'obéissance est d'obéir et la responsabilité d'apporter la victoire repose sur Dieu seul et Ses moyens par delà tout calcul humain. La justification de l'obéissance humaine est donnée par l'intervention divine et non par le progrès humain. La responsabilité du chrétien pour vaincre le mal consiste à résister à la tentation d'atteindre ce but par ses propres armes. Écraser l'adversaire méchant (ndr. par la force), c'est être vaincu par lui car cela signifie accepter ses normes à lui », dans John H. YODER, *The Royal Priesthood. Essays Ecclesiological and Ecumenical*, éd. Michael G. Cartwright, préface de Richard J. Mouw, Grand Rapids, William B. Eerdmans Publishing Company, 1994, p. 143-167 (ce volume publie la traduction française de cet article, p. 113-148).

2. Nous pensons tout d'abord au fait que le vengeur est le Christ lui-même. Nous relevons ensuite que le jugement s'opère par la Parole. C'est par le glaive aigu qui sort de la bouche du messie-cavalier, le Fils de l'homme, que les nations sont frappées (Ap 1.16 et 19.15), c'est encore par le glaive « qui sort de la bouche » de ce cavalier que les armées de la bête et que les rois de la terre furent mis à mort, selon Apocalypse 19.21. Ces passages commentent des textes bibliques plus anciens comme Ésaïe 11.3-4 et psaume 2. Dans 4 Esdras 13.5 également, le Messie s'avance contre les ennemis sans armes et les défait miraculeusement par un fleuve de feu sortant de sa bouche. De même « l'impie », sera « détruit par le souffle de sa bouche » et « écrasé par l'éclat de son avènement » (2 Th 2.8). La Parole de Dieu ne les soumet pas à la manière des armées romaines, elle proclame l'Évangile du Règne de Dieu, la nécessité de la repentance et de la conversion. L'Église du Christ mène cette bataille en annonçant l'Évangile. Il s'agit ici d'une lutte spirituelle déjà mentionnée ailleurs dans le Nouveau Testament (He 4.12 et Ep 6.17). W. Klaassen suggère à juste titre que cette image s'inspire du texte de Os 6.5 : parlant d'Ephraïm et de Juda qui sont sans loyauté, le verdict du Seigneur est le suivant : « C'est pourquoi je (les) frappe par les prophètes, *je les tue par les paroles de ma bouche*, tes jugements viennent au jour, car je veux la loyauté et non le sacrifice... ».

sans dénonciation du péché ; c'est là la pertinence sociale de l'anabaptisme des Frères Suisses. Il ne s'agit pas d'un dualisme menant à un retrait, mais d'une présence, la position de ces communautés refusant la société christianisée de l'époque fondant même la possibilité d'un témoignage crédible. Si les Frères Suisses et Franck étaient proches, car puisant aux mêmes sources, il y a toutefois quelques nuances que nous relèverons encore au fil de l'exposé de la pensée de ce dernier.

Le 5 septembre 1531, a été publié, à Strasbourg, la *Chronica, Zeitbuch und Geschichtsbibel*, premier ouvrage historique de Sebastian Franck (1500-1542). D'abord prêtre catholique puis prédicateur évangélique, il est surtout connu pour avoir été un écrivain populaire. On a pu le rencontrer à Nuremberg, Strasbourg (d'où il fut expulsé), Ulm et Bâle. Franck, que l'on classe souvent parmi les spiritualistes, considérait toutes les Églises organisées comme des sectes et voyait la véritable Église comme étant disséminée et invisible. Il se considérait comme un disciple d'Érasme. Nous utiliserons, pour étudier son rapport aux autorités et aux puissants, la *Chronica*[1] et les travaux de André Séguenny[2] qui traitent de la manière originale dont Franck voyait l'histoire, l'autorité et le rôle des foules.

L'archevêque Albrecht dira aux Strasbourgeois que « la Chronica publiée chez vous est un ouvrage très nuisible et pernicieux ». À cela, Jean Sturm répondra : « Je le sais, il a été publié chez nous, mais par la négligence de la censure ; le chroniqueur a ensuite été puni et expulsé de la ville ».

Philippe, landgrave de Hesse, pourtant considéré partout comme le héraut des principes de tolérance et de liberté religieuse, dira :

1. La *Chronique* de Franck a été largement diffusée et fut publiée en 1531, soit six ans après la répression du soulèvement paysan (1525), mais aussi trois années avant le drame de la théocratie de Münster, en Westphalie, mais encore un an après la diète d'Augsbourg à la suite de laquelle le Saint Empire romain germanique cessa d'exister – d'où l'hypersensibilité des princes allemands face aux déclarations relatives au pouvoir.

2. Spécialement André SÉGUENNY, *Historia magistra vitae ; quelques remarques à propos de la Chronica de Sebastian Franck*, dans *Horizons européens de la Réforme en Alsace. Das Elsass und die Reformation im Europa des XVI Jahrhunderts*, Société savante d'Alsace et des Régions de l'Est, collection Grandes Publications, tome XVII, mélanges offerts à Jean Rott pour son 65e anniversaire, publiés par Marjin de Kroon et Marc Lienhard, Librairie Istra, Strasbourg, 1980, p. 107-118.

« On nous a fait savoir qu'un individu du nom de S. Franck séjourne chez vous et propage des idées inconvenantes, en paroles et par écrit, en particulier contre l'autorité, si bien qu'on peut le reconnaître et l'arrêter officiellement comme un émeutier et un anabaptiste »[1].

Un théologien catholique du nom de Jean Eck pouvait par exemple dire ceci au sujet des anabaptistes :

« Mon gracieux seigneur a ordonné que l'on décapite ceux qui se rétractent et que l'on brûle ceux qui ne se rétractent pas. Car cette secte est très inquiétante, et comme mon gracieux seigneur et ses conseillers le supposent, on peut s'attendre à plus de dégâts de sa part que de la récente révolte paysanne ; car cette secte prendra racine dans les villes. Si donc une émeute éclatait, ceux des villes se soulèveraient. Ils auraient des armes, de la poudre et des armures, ainsi que des hommes expérimentés. Et si les paysans se mettaient à leurs côtés, comme auparavant, tout serait sens dessus dessous et détruirait le clergé, les princes et la noblesse. C'est pourquoi les princes et la noblesse doivent faire très attention »[2].

Sebastian Franck avait des « idées inconvenantes » pour reprendre les propos de Philippe de Hesse. Cela est vrai pour tous les anabaptistes, sans distinction. On présuppose chez chacun d'eux, sans distinction des approches qu'ils ont du rapport entre les deux Testaments, une recherche de pouvoir par la force. Franck avait pourtant des opinions pacifistes et tolérantes, mais dans le contexte de 1531, elles sont suspectées de cacher un caractère séditieux et radical. Voyons quelles conceptions de l'histoire et du pouvoir sont en jeu chez lui.

Pour Franck, en effet, les autorités faisant usage de la violence sont un mal nécessaire permis par Dieu. Une telle approche explique également l'attitude non classique par rapport aux autorités (elle reste « ordonnance de Dieu ») dont témoigne le document anabaptiste de

1. SÉGUENNY, *Historia magistra vitae...*, p. 108. La protection de Philippe de Hesse ne s'étendait en fait qu'à ceux dont l'enseignement ne touchait pas aux problèmes de l'autorité temporelle ou au moins qui ne l'attaquait pas lui-même.

2. Trad. André SÉGUENNY, *Historia...*, p. 107-118 ; nous soulignons le fait que les « idées inconvenantes... contre l'autorité » constituaient une menace : « on peut s'attendre à plus de dégâts de sa part que de la récente révolte paysanne ; car cette secte prendra racine dans les villes ».

Schleitheim[1]. Pour les deux, néanmoins, le pouvoir selon Dieu est service non coercitif du prochain et de ses affaires. La toute-puissance de Dieu se manifeste en ceci, que le mal, qui se produit parce que l'homme le commet, sera puni par permission divine, par un autre mal ; et il en sera ainsi jusqu'au jugement dernier[2].

Ce principe de la commutativité du mal se trouve à la base de la conception politico-sociale de Franck, souligne Séguenny[3]. On n'y trouve pas l'idée d'un État chrétien, mais l'idée d'une souveraineté du Christ. Dans cette perspective, le règne du Christ consiste en sa souveraineté sur les nations. Cela ne change rien au caractère intrinsèque des autorités qui resteront un « équilibre relativement supportable établi sur la base d'égoïsmes particuliers », pour reprendre une expression du théologien américain Reinhold Niebuhr.

Fondamentalement pourtant, dans la pensée de Franck, le pouvoir oppresseur tire son origine du mal, qui ne peut provenir de Dieu[4]. Les autorités ou les puissants, n'ont pas une légitimité qui appartient à l'ordre de la création, mais à l'ordre de la chute. Il y a là une explication de l'origine du pouvoir de contrainte, non de l'origine des pouvoirs, qui peut être reprise au compte des Frères Suisses. Pour Franck, le pouvoir provient des mauvais impies descendant de Noé[5] ; la tyrannie et le pouvoir n'ont pris naissance qu'après le déluge. Auparavant, Franck

---

1. « Le glaive est une ordonnance de Dieu, en dehors de la perfection de Christ. Dans la perfection de Christ cependant, seule l'exclusion est employée pour avertir et séparer celui qui a péché, car on ne met pas à mort la chair, mais on utilise uniquement l'exhortation et le commandement de ne plus pécher (Jn 8.11) » – voir la traduction des documents dans Claude BAECHER, *L'affaire Sattler*, *op. cit.*, p. 52-54. Qu'on ne se trompe pas, cette méfiance à l'égard d'un magistrat prononçant des sentences de mort – avec dans cette perspective des moyens non chrétiens ! – a déjà été critiquée par d'autres, qui ont vu qu'ils cherchaient à établir un « conseil civil chrétien », une manière de gouverner alternative. Ainsi Ulrich Zwingli s'opposant au proto-anabaptiste Conrad Grebel, dira déjà en 1524 : « Un groupe particulier de personnes devait émerger, une sorte d'Église composée de personnes chrétiennes, vivant des vies saintes, croyant en l'Évangile et le suivant, n'ayant aucun lien avec les dîmes et l'usure, ayant toute chose en commun et, de surcroît, voulant établir un conseil civil chrétien » (cf. Emil EGLI, éditeur, *Aktensammlung zur Geschichte der Zuercher Reformation in den Jahren 1519-1533*, Zurich, 1879, I, p. 72).

2. Cf. *Chronica*, f. 106v. r., lecture de Séguenny, p. 111.

3. SÉGUENNY, p. 111, cf. *Paradoxa* de Franck p. 21-22.

4. Cf. FRANCK, *Paradoxa*, p. 21-22.

5. Cf. *Chronica*, f. 11r. Nous ajoutons ici que Luther, dans son traité *De l'autorité temporelle et dans quelle mesure on lui doit obéissance*, en 1523, situe la loi du glaive dans la création déjà, et la différence est significative et lourde de conséquence : « En outre, dit-il, la loi de ce glaive a existé dès le commencement du monde. [*suite de la note page suivante*]

l'affirme, il n'existait ni roi ni chef, et tout était utilisé en commun. L'origine véritable du pouvoir est dans le sang versé par Caïn. La Bête vient du chaos de la « mer » dans l'apocalyptique...

Franck ne répond pas à la question qu'il pose, de savoir si l'autorité née d'une telle circonstance, a été approuvée par Dieu. Il ne nie toutefois pas une telle possibilité, car cela déterminerait le caractère du pouvoir comme fouet des méchants utilisé contre d'autres méchants encore pires ; ce qui induit une obéissance absolue des subordonnés, sauf en ce qui concerne les questions de conscience et de foi. Les anabaptistes au XVIe siècle, comme à Schleitheim, acceptaient de placer le « glaive » sous la souveraineté permissive de Dieu. Ni Franck, ni les Frères Suisses, n'approuvaient l'arbitraire et la tyrannie d'un pouvoir temporel, quel qu'il soit ; en effet, nulle part il n'est écrit que le pouvoir peut faire ce qui lui plaît comme par exemple opprimer ses sujets ou imposer arbitrairement de nouveaux impôts...

Dans la théorie catholique classique, la genèse du pouvoir dérive d'une décision de Dieu. Sur ce sujet Franck s'est opposé tant à Luther qu'aux paysans révoltés, car, dira-t-il : « Tous les massacres, pillages et la tyrannie étaient exécutés au nom de Dieu et de son Évangile »[1]. Luther de son côté exigeait finalement des princes qu'ils noient la révolte des paysans dans le sang. Bien qu'il partagent pleinement le programme théologique des hussites[2], Franck s'opposa également à leur révolte. En fait, il s'agit, dans tous ces cas, d'une critique de tous les régnants, qu'ils soient païens ou chrétiens.

Franck, déjà en son temps, définit la démocratie comme « la souveraineté de plusieurs »[3]. Le meurtre d'Abel par Caïn a montré que la réalisation et le maintien de cette forme de vie sociale sont impossibles. Le péché fait que les relations fondées sur la concurrence et la haine relèvent d'un système de concurrence animale, ce qui a contraint Dieu à intervenir, et ce fut le commencement des gouvernements tyranniques.

---

5. [*début de la note page précédente*] En effet, quand Caïn tua son frère Abel, il eut une telle crainte d'être tué à son tour que Dieu prononça une interdiction particulière à ce sujet et abrogea pour lui le pouvoir du glaive afin que personne ne le tuât. Caïn n'aurait pas eu une telle crainte s'il n'avait su et entendu dire par Adam qu'il faut punir de mort les meurtriers. En outre, après le déluge, Dieu rétablit et confirma expressément cette loi (Genèse 9)... ». Textes dans *Luther et les problèmes de l'autorité civile*, traduction, introduction et notes par Joël Lefebvre, Aubier-Montaigne, Paris 1973, p. 75.

1. SÉGUENNY, p. 111-2.
2. SÉGUENNY, p. 112.
3. SÉGUENNY, p. 114.

Mais ce système, lui non plus, n'était pas en mesure de se maintenir longtemps : la tyrannie a dû se transformer en empire, et à la place des gouvernements absolus exercés sur des individus, on a affaire à un régime où le pouvoir impérial a cédé une partie de son pouvoir aux princes installés dans les provinces. Ainsi l'empereur devait être élu par tous ses vassaux, mais aussi par la noblesse et les Conseils des villes. L'existence d'un supérieur est pourtant nécessaire, dira Franck, mais il dénoncera la constitution d'une classe sociale rassemblant la noblesse... La filiation héréditaire a, selon lui, donné naissance aux chevaliers et à des dispositions économiques exagérées[1]. Le chroniqueur entrevoit alors un remède aux aspirations égalitaires : « Tout homme, s'il est bon, devrait être noble ». C'est sa bonté qui le distinguera de la foule. Ces idées constituent une menace pour la noblesse héréditaire.

Comme les Frères Suisses, pensons-nous, Franck voit que le mal dans ce monde ne peut être combattu physiquement que par un autre mal. Pour cette raison également les anabaptistes pacifiques se désolidariseront de ce procédé en n'envisageant que les moyens de l'exhortation fraternelle et éventuellement de l'exclusion de la communauté chrétienne comme moyens admissibles de lutte contre le mal.

Pour ces radicaux, il n'y a ni paix véritable ni action sociale valable à l'échelle planétaire sans eschatologie, c'est-à-dire sans l'avènement de l'Esprit transformant toute chose, c'est-à-dire sans l'avènement du Christ. Les anabaptistes pourtant voulaient vivre concrètement la transformation des rapports enseignée dans les Évangiles. Luther lui-même avait initialement donné aux paysans l'audace de chercher la justice au nom de l'Évangile[2], comme le feront Franck et les Frères Suisses. C'est ainsi que les anabaptistes étaient en faveur de bien des revendications paysannes, en raison des motifs égalitaires qui les sous-tendaient ; mais ils refusaient de soutenir les soulèvements violents. Franck précise même que la chute d'une tyrannie en amène dix autres, et que de toute façon, « aucune révolte ne plaît à Dieu ». Il faut donc chercher ailleurs. Franck dira que « la loi de l'Évangile commande de supprimer la

---

1. La noblesse toutefois tire son pouvoir non de la bonté, mais de la tyrannie. Franck, nous résumons, s'oppose donc aux théories de l'origine surnaturelle de la noblesse, car les hommes peuvent tous être nobles ! Franck est ainsi contre la noblesse héréditaire, car Dieu est même l'ennemi des titres et des grands noms et le caractère héréditaire de la noblesse est païen. « Seules les vertus font l'homme noble face à Dieu, mais les vertus, constate Franck, il ne saurait les hériter » (SÉGUENNY, p. 115).

2. SÉGUENNY p. 116 et *Chronique*, f. 274r.

violence »[1] et que les « paysans ont voulu remplacer Dieu ». Dieu est certes contre les tyrans, mais il intervient en son temps et par ses propres moyens[2]. Prendre le glaive, c'est prendre la place de Dieu. Et comme l'avait dit Grebel à Zwingli qui cautionnait la mise à mort des anabaptistes : « Tous ceux qui prennent l'épée périront par l'épée » (selon une parole du Christ en Mt 26.52). Mais il serait faux de conclure trop rapidement que les autorités sont inutiles, car le pouvoir de l'État consiste également à « tenir la foule en laisse ». La foule, expliquera Franck – suivi plus tard par Jean Calvin et Théodore de Bèze méfiants de toute « ochlocratie » – est un groupe de personnes qui se caractérise par des agissements impulsifs et irrationnels ; elle prend tout pour argent comptant. Elle est une bête féroce à plusieurs têtes qui doit être matée et à qui il faut mettre une muselière.

Dans son livre volumineux, Franck témoigne et juge le monde en lui faisant comprendre qu'il est perdu s'il recourt à ses propres moyens, basés sur la violence. Chez les Frères Suisses la conception du pouvoir n'est pas aussi dualiste qu'il a été généralement dit jusqu'à présent, comme si les autorités n'avaient pas de fonction positive dans la providence divine ou s'ils n'avaient pas de définition positive du pouvoir comme service, mais elle rejoint bien celle énoncée par Sebastian Franck, à part le fait que nous ne nous souvenons pas y avoir rencontré une réflexion sur la foule.

Voici ce qu'on peut dégager de cette manière de voir :

- la nécessité d'un pouvoir ;
- la nécessité d'une soumission par avance à la toute-puissance du Christ qui peut utiliser des moyens corrompus pour corriger le mal ;
- une désacralisation du pouvoir sur la base d'une conviction tirée de la Bible ;
- c'est le peuple pacifique de Dieu attaché au Messie qui régnera et non le lignage des puissants ;

---

1. *Ibid.*, p. 116.

2. On lira à ce sujet les développements de ce même thème à l'intérieur de la réforme magistérielle, cf. Éric FUCHS et Christian GRAPPE, *Le droit de résister. Le protestantisme face au pouvoir*, Coll. Entrée Libre n° 7, Genève, Labor et Fides, 1990, 94 p. On notera les divergences quant aux moyens de résistance entre Franck et les Frères Suisses d'un côté et la « tradition protestante » de l'autre.

- la méfiance à l'égard de la populace car elle est versatile et non animée par l'Esprit du Christ[1].

Comme le montre l'anabaptiste Hans Schnell en 1575, une des fonctions du gouvernement est de dissuader les méchants par le châtiment ou la menace. Mais les chrétiens ont mieux à faire que de participer aux mesures coercitives.

Cette théorie de l'origine du pouvoir dérivée d'une lecture particulière de la Bible a un rapport avec ce qu'il adviendra à ces pouvoirs, non seulement du vivant des anabaptistes, mais également lors du jugement dernier. Même déjà évangélisés et appelés à la repentance par la présence de témoins du Christ, du peuple pacifique porteur de la Parole de Dieu, ces pouvoirs n'en gardent pas moins leur caractère tyrannique. La société n'est pas l'Église !

3. Ce même rapport aux autorités vu au travers de citations d'autres « Frères Suisses »

Pour étayer notre propos nous proposons quelques citations tirées de Frères Suisses tout au long des deux siècles qui suivent le début de la Réforme. Elles soulignent cette doctrine du jugement des puissants qui est à la base de leur attitude critique envers les autorités. Nous citerons cinq types de documents.

A. Ainsi, par exemple, l'anabaptiste Hans Schnell reconnaîtra en 1575 le bien-fondé du mandat donné aux autorités de porter le « glaive », dans la perspective de l'alliance noachique selon Genèse 9.6, repris en Romains 13. Cette responsabilité sera prolongée « jusqu'au dernier Jour de sa venue, lorsque Dieu anéantira tout le pouvoir de ce

---

1. Aujourd'hui encore, les amish considèrent le magistrat comme étant « charnel » et institué par Dieu. C'est une autre éthique que celle de Luther qui dit qu'il est possible d'être bon chrétien, magistrat, soldat et même bourreau. Pour les amish, si on est fidèle au Christ, on n'a pas à participer à un système qui a recours à la force. En payant les impôts, les amish se dégagent de leurs responsabilités, car ils n'imaginent pas avoir à dire au gouvernement quand et comment il a à faire usage de la force. Leur citoyenneté est dans les cieux – entendez dans la sphère où le pouvoir est converti. Ils ne votent pas non plus, car ils ne peuvent considérer les élus comme leurs députés. Leur statut est d'être « étrangers et voyageurs » selon 1 Pierre 2.11, et « ambassadeurs pour Christ » selon 2 Corinthiens 5.20. Le « monde, dira John Yoder en 1964, est une référence à l'ordre créationnel rebelle, c'est le système social tout entier en dehors de la société amish » – gouvernement compris.

monde », selon 1 Corinthiens 15.24-25[1]. Schnell admet fonder sa théologie sur un droit « naturel ». Par opposition à ce mandat donné aux autorités, le mandat des chrétiens est de ne pas « combattre par l'épée pour leur vie », car dans le « Royaume du Christ », il s'agit d'obéir à Dieu en Christ plutôt qu'aux hommes, comme le dit la Bible. Le Christ-roi ordonne de ne pas « rendre le mal pour le mal » et de ne pas « nous venger nous-mêmes » (Rm 12.17-19), ainsi que de ne pas participer aux guerres...[2]

« Quiconque est né de nouveau par l'Esprit a en lui la nature et les qualités de son Père et est d'une même pensée que Jésus-Christ ». Ainsi « le pouvoir et l'utilisation de l'épée appartiennent aux royaumes de ce monde ». Néron, Pharaon, le roi de Babylone, Pilate, furent tous des « serviteurs de Dieu », des tyrans que Dieu a utilisés comme instruments de sa colère, mais qui, également en leur temps, seront tenus pour responsables de leurs actes et jugés. Les autorités qui seront restées dans les limites de leur mandat seront récompensées comme les serviteurs-esclaves ; mais « ceux qui doivent hériter sont les enfants de Dieu, chez lesquels toute guerre a cessé et où les épées et les armes ont été mises de côté »[3].

« Que Dieu leur accorde de comprendre ceci, dira Schnell en parlant des autorités persécutrices, car elles ne savent pas ce qu'elles font. Au jour du jugement, elles seront dans une grande détresse et elles diront : "nous ne voulions pas faire ceci, nous ne comprenions pas". Mais cela ne les aidera pas, un remords éternel sera leur lot, car elles auraient mieux fait de comprendre cela avant ! »[4].

Les anabaptistes citent Daniel 2 en rapport avec la destruction des royaumes humains, ainsi que 1 Corinthiens 15.24-25. Un grand débat eut lieu sur l'interprétation d'Apocalypse 21.24 entre Bullinger[5], le successeur de Zwingli à Zurich et Leo Jud plus favorable aux positions anabaptistes. Il s'agissait de savoir si la référence aux « nations » qui

---

1. Leonard GROSS, *MQR* 68, 1994, p. 360. Traduction reprise de notre thèse, *Eschatologie anabaptiste*, p. 545-547.
2. Leonard GROSS, *ibid.*, p. 361-362.
3. *Ibid.*, p. 364.
4. Idem.
5. Pour Heinrich BULLINGER, voir par exemple son traité *Cent sermons sur l'Apocalypse de Iesus Christ, reuelee par l'ange du Seigneur, ueue et escrite par S. Iean Apostre et Euangeliste. Mis en lumiere par Henri Bullinger, ministre de l'Église de Zurich*, Genève, Jean Crespin, 1558, réédité plusieurs fois. Cf. sermons XCV et X. Mais comme Zwingli, son prédécesseur, Bullinger doit s'appuyer sur le mandat confié aux rois de l'Ancien Testament pour établir à la fois la religion et la discipline.

marchent à la lumière de l'Agneau et si « les rois de la terre » qui apportent « leur gloire » dans la Jérusalem céleste, selon Ésaïe 60.3 et 11, représentent des nations et des rois qui sont obligés de se soumettre, comme Vercingétorix l'avait fait devant le cortège triomphal de César, ou si ce sont les éléments culturels et les actions saintes des rois ou des magistrats qui trouvent leurs prolongements dans la gloire.

B. Voici également une citation par l'anabaptiste Andreas Guth en 1588 d'un document plus ancien, représentatif de la compréhension particulière des Frères Suisses à propos des autorités. Elle met en évidence la relation entre les deux Testaments sur ce sujet. Dans sa *Simple déclaration au bourgmestre et au conseil de la ville de Zurich...* Andreas Guth montre que les chrétiens devaient s'inspirer de la Jérusalem céleste et non de la Sion terrestre et de l'ancienne loi. Pour lui, l'ancienne loi

> « enseigne à prendre possession du pays promis de Canaan avec l'épée, la pique et l'arc, et à exterminer les habitants du pays. Mais c'est la loi et la Parole du Seigneur qui vient de Jérusalem et de Sion par le Christ, le roi céleste et le souverain sacrificateur lui-même, qui enseignent la paix aux peuples, brisent l'arme de guerre et renversent le cheval et le char de Jérusalem, selon Zacharie 9 et les Psaumes 45 et 75... c'est lui qui nous fait mener une vie sainte dans laquelle on peut demeurer sans crainte au jour du jugement, devant la face de Dieu et de tous les saints anges »[1].

On le voit bien, l'anabaptisme pacifique propose une herméneutique, une façon de voir la relation entre les deux Testaments et de comprendre le projet de Dieu.

Le fait de considérer les autorités comme d'institution divine n'implique pas, dans la perspective anabaptiste, de les considérer comme sacrées. Dès qu'elles usurpent leur puissance, les autorités ne sont plus dans le plan moral de Dieu. Les anabaptistes, comme Spitelmaïer, disent pour illustrer cela, qu'elles sont semblables à Pilate lorsqu'il a condamné le Christ[2] !

---

1. Claude BAECHER, *Eschatologie anabaptiste*, p. 555. Le document de Guth se trouve aux archives municipales de Zurich (cote EII, 443, p. 121-197) ; il fut retranscrit et le texte nous a gracieusement été communiqué par l'historien Arnold Snyder que nous remercions ici.

2. Claude BAECHER, *ibid.*, p. 471.

C. Dans un traité publié à Bâle en 1527, nous trouvons les réponses à différentes questions posées à l'anabaptiste Carlin ; celui-ci déclare que tout ce qui ravit la gloire à Dieu est à arracher, car c'est une abomination. Il est intéressant de remarquer que, selon le rapport d'Augustin Marius au Conseil de la ville de Bâle, l'anabaptiste Carlin est conscient d'agir en conformité avec la position zwinglienne radicale :

> « Tout ce que le Père n'a pas semé, il convient de l'arracher... Tout ce que le Père céleste n'a pas planté est une abomination devant Dieu et comme le baptême des enfants n'est pas institué par Dieu, il est une abomination »[1].

Il reprendra la même attitude par rapport aux autorités, établissant une différence entre la volonté souveraine et la volonté morale de Dieu :

> « l'autorité est instituée par Dieu ; mais si l'autorité agit en dehors du commandement et de la promesse du Christ, alors elle n'est pas chrétienne, et ainsi ne lui devons-nous pas l'obéissance ».

Pour justifier son point de vue, Carlin montre que pour Jésus,

> « l'autorité de Pilate était aussi de Dieu. Mais nous ne devons obéissance qu'au Christ seul, selon le commandement de Dieu. Et comme le Christ a pris la fuite, lorsqu'on a voulu le faire roi, que le Christ n'a pas voulu condamner la femme adultère, qu'il n'a pas voulu juger entre deux personnes au sujet de biens terrestres, qu'il a dit que son royaume n'était pas de ce monde, que nulle part dans l'Écriture l'autorité n'était louée comme étant chrétienne, qu'il ne convient pas de condamner les chrétiens qui sortent de la foi, mais (qu'il convient) de les exclure par la discipline, c'est ainsi que, selon l'exemple du Christ, il ne convient pas d'être en position d'autorité mais de prendre cet article de foi au sérieux et donc de fuir l'autorité comme le Christ l'avait fait ; mais cela ne veut pas dire que l'autorité doive être abrogée »[2].

Dans cette logique, il est possible d'entendre des appels à la repentance, à Zurich, à Bâle et à Mont Pellicard (Montbéliard). Il s'agit de se

---

1. DÜRR et ROTH, *Aktensammlung zur geschichte der Basler Reformation in den Jahren 1519 – anfang 1534* – Vol II, Bâle et environs, n° 678, p. 591.
2. DÜRR et ROTH, *ibid.*, n° 676, p. 546.

convertir d'une définition de l'autorité usant de moyens de contrainte à une définition de l'autorité redéfinie par le Christ du Sermon sur la montagne. Ainsi, les anabaptistes Conrad Winkler de Zurich et Jacob Treyer ou Treiger de Lausen (Bâle Campagne), associés à des anabaptistes de la région bâloise, furent à l'origine d'un appel à la repentance dans les rues de Bâle. Étant touchés par l'incarcération de leurs coreligionnaires, ils s'étaient écriés, faisant référence à la parole d'Apocalypse 20.4ss :

> « Les tyrans disparaîtront de dessus la terre et nous, les saints et les rejetés, nous régnerons dans ce monde, mais vous les maudits, vous irez dans le feu éternel »[1].

Que les autorités aient la possibilité de se convertir est manifeste dans une citation tirée de la missive de Hans Schnell adressée aux Autorités de Zurich :

> « Si un magistrat veut devenir chrétien, il doit d'abord naître de nouveau par l'Esprit-Saint. Alors il deviendra un héritier, semblable à un enfant né d'une femme et se conformera à l'enseignement et à l'exemple du Christ et sera d'une même pensée avec Jésus-Christ »[2].

D. Une attitude critique analogue par rapport aux autorités et s'inspirant du jugement eschatologique était, à titre d'exemple, déjà évidente dans un chant qui a retenti en 1525, chanson partisane de la prédication évangélique du groupe de Meaux près de Paris et dont les auteurs anonymes passeront en jugement le 29 décembre 1525 devant la Cour de Paris ; le lieutenant général du bailliage de Meaux pensait que ce type de chansons « tourne à conséquence ». Voici les paroles de l'une d'elles. Bien qu'elle se réfère aux personnes qui maintiennent certaines pratiques catholiques, la logique du jugement est la même, car les anti-

---

1. Voir Paul BURCKHARD, *Die Basler Taüfer. Ein Beitrag zur schweitzerischen Reformationsgeschichte*, Bâle, 1898, p. 123 ss. Et également DÜRR et ROTH, vol. III, Bâle, 1937, p. 151. Cf. également une étude plus récente de l'anabaptisme bâlois, due à la plume de Hanspeter Jecker, *Die Basler Taüfer, Studien zur Vor – und Frühgeschichte, Basler Zeitschrift für Geschichte und Altertumskunde*, vol. 80, 1980, p. 5-131. Jecker relève notamment que les anabaptistes furent généralement expulsés, ce qui montre la politique relativement clémente des autorités bâloises à cette époque, cf. p. 98-99.

2. Leonard GROSS, *MQR*, 68, 1994, p. 377 ; traduction dans notre travail, *Eschatologie anabaptiste*, p. 550.

christs sont caractérisés par leur recours au mensonge, à la contrainte et à la répression pour protéger leurs intérêts particuliers :

On veoit parmy le monde
Un grant taz d'antecristz
Qui d'un cueur vil, immunde
Blasphement Jesucrist
Mais ilz seront pugniz
S'ilz ne s'en repentent,
Mais ilz seront pugniz
Ainsi qu'il est escript
...
Ils ont leur règne maintenant[1],
La chose est bien certaine,
Ils ont leur règne maintenant,
Cela est évident.
O langues serpentines
Qui vous réjouissez
Persécuter les membres
Dont Jésus-Christ est chef.
Il vous sera vendu bien cher,
Au bout de votre vie,
Il vous sera vendu bien cher,
Si vous ne repentez mie[2].

E. Autre et dernier témoin significatif de la pensée des Frères Suisses : la préface à l'édition de 1583 du recueil de chants anabaptistes *Ausbund*, longtemps en usage parmi les mennonites continentaux des-

1. Certains « bibliens » étaient emprisonnés à la Conciergerie, alors que les théologiens et docteurs de la Sorbonne se prévalaient de traditions humaines sur la vérité de l'Évangile. Étaient visés les magistrats du Parlement et les théologiens. Il va sans dire que les parlementaires furent piqués au vif. La Bible a été interdite de publication – il faut le rappeler – à cause des affirmations perçues alors comme subversives qu'elle contient, à une époque où gagnait la rébellion.

2. Michel VEISSIÈRE, *L'évêque Guillaume Briçonnet (1470-1534), Contribution à la connaissance de la Réforme catholique à la veille du Concile de Torente*, préf. de Pierre Chaunu, Provins, 1986, p. 360. Les persécuteurs des membres de Jésus-Christ le paieront cher s'ils ne se repentent. Ces chansons émanent de « bibliens », ou d'« évangéliques » dont la confession de Jésus-Christ Sauveur, seul médiateur, constitue le centre théologique. Dans ce cas également, le Christ a la puissance de soutenir le courage des persécutés et a le statut de Juge des rois de la terre. En fait, il y a ici, non seulement une affirmation de foi, mais un discours relatif au pouvoir ou plutôt à l'abus de pouvoir.

cendant des Frères Suisses, et encore de nos jours chez les amish. Nous y trouvons une référence aux autorités et une fois encore en relation avec la notion de jugement ; en effet, après avoir montré que les autorités sont établies par Dieu « dans un monde de ténèbres », et que cela est aussi valable pour Néron, Pilate et Nébucadnetsar, l'auteur de la préface de l'*Ausbund* commente Romains 13 et souligne que les autorités feraient bien d'examiner la prophétie de Daniel qui souligne que « le Très-Haut, qui est au-dessus des royaumes humains, est au-dessus des Autorités et qu'Il les (les royaumes humains) donne à qui lui plaît. C'est pourquoi, il convient que nous nous astreignions davantage à obéir à Dieu, le donateur de ces offices, qu'à ceux à qui ils ont été donnés »[1].

De ce fait, les autorités ne doivent pas affliger les innocents, car « ceux qui avaient battu et crucifié Jésus ne seront pas innocents au jour où ils comparaîtront devant Dieu ».

Jusqu'à présent, à la suite des travaux de Norman Cohn[2] on explique le recours à l'apocalyptique par la situation socio-politique, ce qui réduit l'apocalyptique à un catastrophisme. Mais l'analyse du recours à des textes apocalyptiques chez les anabaptistes pacifiques a montré qu'elle pouvait également représenter une manière rationnelle d'agir pour un groupe qui désespère de l'histoire sans abandonner l'espérance d'un dénouement glorieux ; ceci Jean Delumeau l'a bien mieux montré dans son *Histoire du paradis*[3].

John H. Yoder dira à juste titre, pensant à sa localisation traditionnelle au XVIe siècle, que « l'anabaptisme n'est pas un siècle, mais une herméneutique »[4]. Les convictions de l'anabaptisme sont ancrées dans l'Écriture et s'expriment concrètement dans une ecclésiologie propre d'Église de professants, et dans une compréhension particulière de l'éthique, celle du chemin de la croix, réservant l'usage du pouvoir aux seuls aspects de la pratique ecclésiale prescrits dans le Nouveau Testament. Cette compréhension a poussé ces croyants à renoncer au pouvoir

1. Traduction dans *Eschatologie anabaptiste...*, p. 614-615. Des anabaptistes comme Menno Simons, Marpeck et d'autres, pensent que l'on peut coopérer avec le magistrat, tant qu'il ne tue pas, n'exploite pas et ne persécute pas.

2. Norman COHN, *Les fanatiques de l'Apocalypse, millénaristes révolutionnaires et anarchistes mystiques au Moyen Age*, édition revue et augmentée, Payot, Paris, 1983.

3. Jean DELUMEAU, *Mille ans de bonheur. Une histoire du paradis***, Fayard, Paris, 1995.

4. Voir son article « Anabaptist vision and Mennonite Reality » dans *Consultation on Anabaptist mennonite Theology*, Papers read at the 1969 Aspen Conference, édité par A.J. Klassen, publié par le Council of Mennonite Seminaries, 1979, Fresno, p. 1-46.

humain, et à prendre au sérieux la dimension messianique de l'Église libre et volontaire ; et dans cette logique, ses membres ont renoncé à des actes de violence et se sont engagés dans des attitudes de confrontation aimante.

Dans le chapitre suivant, nous reprendrons certains éléments essentiels de l'eschatologie en plus de l'attente du Messie-Juge et de la conviction en la venue « corporelle » d'un au-delà où habitera la justice, pour montrer comment certains thèmes ont changé sous l'influence du piétisme.

4. Caractéristiques et évolution de ce rapport aux autorités dans un contexte influencé par le piétisme

L'attitude de distanciation par rapport aux puissants a duré longtemps dans la Haute Vallée rhénane. Une *Concordance* longtemps en usage parmi les « Frères Suisses » fait le pont entre le XVIe et le début du XVIIIe siècle. Elle témoigne de la permanence des manières de voir dont nous avons parlé. On peut résumer cette attitude en disant que, pour se préparer à rencontrer le Christ, il s'agit de ne pas céder aux intrigues et aux méthodes des tyrans, quitte à affronter l'hostilité.

Un livre imprimé en 1844 sur le continent européen, dernier témoin avant longtemps de cette manière de voir, se réfère à ces perspectives propres aux Frères Suisses. Il s'agit de la *Restitution*, écrite par Heinrich Funck[1].

Pour lui, l'attente de l'avènement du Christ a un rapport, d'une part, avec la justice vécue, et d'autre part, avec une attitude de vigilance vis-à-vis des puissants. Chez lui, comme durant plus de 200 ans chez les anabaptistes, le thème du jugement des puissants qui auront abusé de

1. *Une restitution ou explication de quelques points importants de la loi. Comment elle est accomplie par Jésus-Christ, et sera pleinement accomplie lors de son Grand Jour... par un enseignant de l'Ancien et du Nouveau Testaments dans la communauté des croyants par Jésus-Christ, que l'on appelle du nom d'anabaptiste ou de mennonite* – à Philadelphie en 1763 et republié à Bienne en 1844. Ce Funck, avant de partir aux États-Unis, était de passage à Montbéliard. (*Eine Restitution oder Erklärung einiger Hauptpunkte des Gesetzes. Wie es durch Christum erfüllet ist, und vollkommen vollendet wird werden an seinem grossen Tage... Durch einen Lehrer des Alten und Neuen Testaments, in der Gemeinde in Jesum Christum, die man mit dem Beinamen nennet die Wiedertaüfer oder Menonisten*, Heinrich Funck. Verlegt und zum Druck befördert durch Heinrich Funcks hinterlassene Kinder. In Philadelphia im Jahr 1763, publié à Bienne en 1844, impr. C. Hofmann, 533 pages).

leur puissance est encore présent. « En conclusion, dira-t-il, il s'agit de suivre le Christ jusqu'à la mort, en portant la croix et la souffrance. C'est ainsi également que, par lui et en lui, nous serons transformés dans la gloire de Dieu ».

Pour saisir l'évolution de l'eschatologie des Frères Suisses, nous dégageons tout d'abord ce qui en fut les caractéristiques :

1 – *L'attente de l'avènement du Christ est fidélité à Jésus-Christ et ce, sans spéculation...* Nous ne trouvons chez eux aucune spéculation au sujet d'une date du retour du Christ. L'une ou l'autre fois, il est seulement fait référence à des signes avant-coureurs de ce retour : l'antichrist romain et ceux qui l'imitent en persécutant, la menace turque, l'activité des faux prophètes qui veulent introduire la légitimation de l'usage du « glaive », comme cela avait été présenté dans un ouvrage de piété de 1702...[1]

2 – *Le thème de la justice est au centre de leur théologie plus encore que celui de la justification.* Ce qui est attendu, c'est un monde où habite la justice, selon 2 Pierre 3.3 et 13 ; l'attente est celle, non seulement de la résurrection du corps, mais également de l'univers concret, c'est-à-dire d'une terre et de cieux véritables où règnera concrètement la justice et où le Christ sera reconnu comme le seul Seigneur par toutes les nations. Cette justice est déjà normative ici-bas parmi les disciples du Christ[2].

3 – *Le jugement des impies par le Christ après son retour* – cette vision a été également celle de Thomas Müntzer ! Cet aspect est déterminant pour comprendre l'accent ascétique et éthique présent dans l'anabaptisme, avec son accent sur la pureté et la discipline communautaire. Nous sommes en présence d'une logique de la participation au Christ dans le temps de la patience de Dieu. Cette notion du jugement des puissants provient généralement de la littérature canonique apocalyptique mais également de la lecture du livre apocryphe de 4 Esdras que du reste le piétisme tenait généralement en haute estime dans ses éditions de la Bible.

4 – *Le fait qu'il y a des jours de l'Éternel, suivis du Grand Jour de l'Éternel* : Zwingli était resté très optimiste par rapport à l'évangélisation mondiale et à la victoire rapide de la Réforme, et ce, jusqu'aux dernières années de sa vie. Dans la logique zwinglienne, le Christ milite et conteste l'injustice dans l'histoire humaine ; il procède ainsi à une

---

1. *Güldene Aeppfel* (trad. du titre : « Pommes d'or sur un plateau d'argent », ouvrage de piété anabaptiste du début du XVIIIe siècle).

2. Cf. Heinrich FUNCK, *Restitution*, p. 530.

actualisation du thème du « Jour de l'Eternel ». Selon lui et les Frères Suisses, ce jour advient partout où la Parole est annoncée sans ajouts humains. Cette doctrine ne se limite pas uniquement au jour ultime du retour du Christ.

5 – *Le fait que le retour du Christ soit systématiquement décrit comme le moment de la rétribution et de la révélation de la foi où la justice révélera la réalité du monde.* Les notes se rapportant à la vengeance sont fréquentes parmi les Frères Suisses et rappellent Müntzer, Hut, Sattler, Grebel et Hoffman. Toutefois, certains dont Müntzer, qui n'était pas un anabaptiste à strictement parler, pensaient que cette vengeance devait avoir lieu avant le retour du Christ et par des moyens humains ; les autres, parmi lesquels les « Frères Suisses », croyaient que la vengeance ne devait pas s'exprimer par les chrétiens, mais uniquement se manifester après le retour du Christ : la vengeance appartient au Seigneur !

Nous pourrions encore ajouter d'autres thèmes comme :

- la nécessité de la séparation – au-delà d'un certain seuil de répression – d'avec les « abominations » pour ne pas avoir à partager les malheurs qui s'abattent sur ceux qui s'y livrent ;
- la promesse de récompenses pour ceux qui sont restés fidèles aux enseignements et à l'Esprit du Christ et qui auront persévéré jusqu'à la fin malgré l'hostilité des puissants.

Un grand changement dans la manière de voir s'est pourtant opéré vers le XVIIIe siècle, un déplacement d'accent qui aura pour effet d'intérioriser l'attente eschatologique dont nous avons parlé. Déjà le martyrologe et certaines prières du recueil *Pommes d'or...*, publié en 1702, témoignent d'une intériorisation de la foi et d'une influence plus marquée du piétisme. Ce mouvement, qui est né suite à la période d'orthodoxie luthérienne, a une eschatologie propre, eschatologie plus triomphante, entre autres, suite à la lecture faite par Spener des chapitres 18 et 19 du livre de l'Apocalypse en 1692. Spener s'attend à une période de prospérité spirituelle sur la terre, et dans cette ligne de pensée, le piétisme pense que la bête et le faux prophète sont déjà tombés, et que le temps de la souffrance est terminé pour les chrétiens, mais continuera pour les juifs. Ces accents contrastent énormément avec la lecture anabaptiste pour laquelle il y aura toujours une croix à porter jusqu'à la parousie. Cependant, les anabaptistes, sous l'influence des thèses piétistes, passeront lentement d'un statut de participant au mystère de la révélation du Christ à celui de spectateur pieux de ce que le Seigneur fera parmi les juifs et dans les âmes...

Nous notons le déplacement de l'attente du Royaume vers l'attente du repos au ciel, décrit dès les années 1940 par l'historien mennonite Robert Friedmann[1] ; le déplacement d'une apocalyptique dénonciatrice des abus de pouvoir annonçant le châtiment imminent des impies (cf. Schnell, Guth et la *Concordance*), à une piété plus axée sur la confiance et l'humilité. C'est le passage d'une théologie de la souffrance, avec un Christ aux prises avec les pouvoirs, à une théologie de l'humilité, le passage d'une *Gelassenheit* (confiance paisible et radicale en la souveraineté divine) et d'une communion aux souffrances du Christ amer, mais victorieux, à « un abandon passif dans le témoignage par le martyre », comme le dira Jean Séguy ; ou encore, selon lui, le passage à « l'esprit de maintenance » après avoir vécu « la dynamique primitive de la restitution ». On passe d'un christianisme socialement critique à un christianisme de reproduction sociale.

Le déplacement d'accent sera celui d'une eschatologie centrée sur la justice humaine, certes pour laquelle le Christ est mort, mais que les croyants sont appelés à vivre dès ici-bas, à une eschatologie centrée sur le salut humain pour lequel le Christ est mort. On s'intéressera plus à l'expérience de la conversion, à l'assurance du salut qu'à la justice et à la repentance qui, par l'action de l'Esprit Saint, changeraient la conduite des chrétiens aussi sur le plan du rapport aux puissants. Par ces changements d'accents théologiques, les anabaptistes renonceront progressivement à une dynamique d'anticipation eschatologique, comportant le mandat d'annoncer une parole prophétique aux autorités religieuses et séculaires. Avec le temps, même le principe du refus de la violence, la *Wehrlosigkeit*, n'aura plus de sens, car ayant changé d'eschatologie, les anabaptistes perdront la raison d'être de ce comportement coûteux. Ils garderont tout d'abord le commandement du Christ plutôt que d'y voir la mission de gagner autrui par une conduite pacifique et prophétique. Ils seront même prêts à payer quelqu'un d'autre pour les remplacer lors de la conscription. Puis, sous l'influence du piétisme et dans un deuxième temps du revivalisme, ils verront un légalisme sans vie dans cet attachement à la règle. Ils redécouvriront alors la « grâce » et la liberté intérieure. Mais leur Christ sera bien plus préoccupé de justification que de justice humaine...

---

1. Les analyses ci-dessous sont toutes reprises de notre travail de recherche sur les *Eschatologies anabaptistes.* Pour le livre de Robert FRIEDMANN, *Mennonite Piety through the Centuries. Its Genius and Its Literature*, Goshen, Mennonite Historical Society, 1949.

On cherchera une piété chaleureuse, mais elle n'aura que très peu de capacité de résistance aux puissants. Et c'est le paradoxe qui peu à peu apparaît, à l'Ouest du moins, celui d'un peuple prospère, confortablement installé, et qui avait pourtant une théologie missionnaire capable de se confronter aux pouvoirs. On assistera à un glissement vers une théologie, non de l'obéissance inconditionnelle au Christ, mais de la docilité silencieuse.

À partir des années 1770, c'est l'invasion, chez les anabaptistes, d'ouvrages piétistes, car, en Europe, ils seront incapables de produire eux-mêmes une littérature religieuse suffisante pour leurs besoins. Nous avons toutefois noté les rares exceptions comme le livre de piété, *Restitution,* d'Heinrich Funck.

5. Tableau récapitulatif

a. Théologie typiquement anabaptiste

1. Jésus-Christ a tout pouvoir (d'où *Gelassenheit* – confiance paisible et radicale).
2. Les puissants seront jugés pour leurs actions.
3. Jésus intervient dès maintenant, mais à la fin, il viendra comme juge pour tous, et spécialement pour les persécuteurs.
4. La justice habitera sur la terre transformée.
5. La fidélité au Christ sera récompensée.
6. Veiller, c'est obéir à Jésus en tout temps !

b. Déplacements de l'anabaptisme vers le piétisme, du XVIIIe au XXIe siècle. On passe :

1. du « vous aurez des tribulations dans le monde » au « cela ira mieux pour vous » ;
2. du « participant au mystère de la révélation du Christ de la croix » au « spectateur de l'action de Dieu chez les juifs, chez les puissants et dans les cœurs » ;
3. du « dénonciateur des abus de pouvoir au prix de la croix » à « l'acceptation dans l'humilité et la soumission ». Ici, humilité est à comprendre dans le sens d'une docilité de plus en plus conformiste, consciente surtout du caractère pécheur de chaque chrétien.

Dans la conclusion de son étude du rapport entre le livre de l'Apocalypse et l'Église, Gerhard Maier écrit : « Parce que l'Apocalypse concentre son attention sur l'avenir et nous place devant le sérieux du jugement divin, il éveille dans une mesure particulière le sens de la responsabilité éthique. Là où l'on étudie l'Apocalypse, on cherche la plupart du temps à vivre le discipulat apostolique »[1].

À une période où les premiers réformateurs accordaient peu de place à l'Apocalypse, sans doute à cause de l'usage qu'en avaient fait certains hussites, et avant qu'une autre approche ne soit suggérée dans la tradition réformée[2], l'anabaptisme a tiré de ce livre, et de la littérature apocalyptique en général, une méfiance par rapport aux souverains ; il hésite entre deux images, celle du dragon ou du monstre selon l'Apocalypse 13 et celle du « serviteur de Dieu » selon Romains 13. Il a lu dans l'Apocalypse que le Christ était le seul maître de l'histoire et a relevé les références à une « nouvelle terre et de nouveaux cieux » et à l'aspect communautaire du salut ; il a vu la nécessité de mener un combat dans l'adversité et la persévérance. N'est-il pas dit que les puissants se ligueraient contre le Messie et les élus ? Le temps de l'Église ne sera que passager et une réalité ultime est attendue.

Chez les réformateurs de la première génération, comme chez les anabaptistes, plus un interprète a une attitude optimiste en rapport avec les autorités terrestres, profitant sans doute de la protection de gens puissants, moins il aura tendance à s'appuyer sur l'apocalyptique – nous pensons à Zwingli et à Hubmaier – ; et réciproquement, moins il aura une vision optimiste du gouvernement, plus il aura recours à l'apocalyptique pour justifier, soit la révolte présente ou future, comme Müntzer et Hut, soit la séparation du monde, la persévérance dans une attitude protestataire et l'attente patiente du retour du Christ. Il n'y a pourtant pas que l'influence de la situation dramatique ou confortable dans laquelle se trouve le lecteur. Nous avons vu que les Frères Suisses tiraient des textes apocalyptiques une aide positive, les confortant dans leur foi au Christ et leur protestation éthique vis à vis des puissances de contrainte ; ce n'est que plus tard, sous l'influence du piétisme qu'ils modifièrent leur lecture de la littérature apocalyptique, la voyant désormais plutôt comme une prophétie du déroulement de l'histoire de l'humanité.

---

1. Gerhard MAIER, *Die Johannesoffenbarung und die Kirche*, Martin Hengel und Otfried Hofius, Wissenschaftliche Untersuchungen zum Neuen Testament, n° 25, J.C.B. Mohr, Tübingen, 1981, p. 621.

2. Irena BACKUS, « Les sept visions et la fin des temps. Les commentaires genevois de l'Apocalypse entre 1539-1584 », dans *Cahiers de la Revue de Théologie et de Philosophie*, n° 19, Genève, Lausanne, Neuchâtel, 1997.

Il est nécessaire pour les mennonites du troisième millénaire de repenser leur eschatologie et notamment cette question du jugement des puissants et la façon dont elle s'harmonise avec le Christ non-violent et glorieux qui se révèle dans les Évangiles[1]. Les Frères Suisses et les mennonites en général ont à repenser la notion du jugement à l'intérieur même de l'histoire, car ils ont une lecture d'un Dieu qui révèle sa nature pacifique en Jésus-Christ et qui, en même temps, ne tient pas le coupable pour innocent. Il est toujours intéressant de voir ce que font les théologiens, particulièrement lorsqu'ils s'inscrivent dans une tradition pacifiste, du thème de la vengeance et du jugement[2].

John Howard Yoder est très respectueux de cette présence du jugement dans la littérature biblique et apocalyptique, tout en relevant certains aspects particuliers à cette dernière. Il note la présence du malheur promis aux tyrans. Cette doctrine du jugement promis aux tyrans ne s'arrête toutefois pas selon sa compréhension à l'avènement du règne de Constantin sous prétexte qu'il serait devenu chrétien. « Constantin n'a pas vraiment inauguré une ère qualitativement nouvelle quant à la nature de l'empire. Néanmoins l'imagerie du millénium a commencé à être utilisée » en rapport avec elle[3]. Cela n'ôte rien

---

1. La problématique a été relevée par Vernard ELLER, « Which Eschatology for Which Christ ? », dans *Theological Students Fellowship Bulletin*, Sept./Oct. et Nov./Dec., 1981, cité dans *Apocalypticism and Millennialism. Shaping a Believers Church Eschatology for the Twenty-First Century*, Kitchener, Ontario, Loren L. Johns éditeur, Pandora Press, et Scottdale, Herald Press, p. 15.

2. Ainsi Walter Klaassen, *Armageddon and the Peacable Kingdom*, Scottdale, Herald Press, 1999, dans un livre remarquable qui montre bien que, dans de très nombreux cas, les images apocalyptiques trouvent leur origine dans l'Ancien Testament. Elles ne sont pas à prendre au pied de la lettre. Quant aux jugements, ils sont donnés en vue de la repentance. Cette approche était déjà celle du groupe des anabaptistes zurichois. Pourtant, il remet en question, à juste titre, la compréhension commune du concept de vengeance trop revancharde (p. 159, 225ss, 245ss). Pour lui, « Judgment was never simply repaying tit for tat, but designed to overcome evil by influencing the free choice of those who oppose the good » (p. 249) et même pour les passages exaltant la vengeance comme Apocalypse 19.1-3, il dira que « le jugement est une justification des serviteurs de Dieu ». Klaassen ne semble pas concevoir qu'il y ait un terme à la patience divine. Il s'en prend à juste titre à ces interprètes des prophéties qui prennent des textes pour « totalement justifier une conduite totalement à l'opposé de celle du Christ » (p. 250). Mais Klaassen va plus loin : s'il est vrai qu'il existe souvent une dimension pédagogique au jugement, il semble se refuser à l'idée qu'il puisse y avoir un jugement définitif venant du Christ, un jugement éternel, alors qu'il dit croire en la résurrection. Il ne peut faire ainsi qu'en procédant par sélection à l'intérieur même de la Bible.

3. John H. YODER, « Ethics and eschatology », in *Ex Auditu. An International Journal of Theological Interpretation of Scripture*, Pickwick Publications, 1990, vol. 6, p. 124.

au fait que les puissants impies, même prétendument chrétiens, continuent à être concernés par le jugement.

Yoder ajoute une réflexion éthique qui nous semble très proche de l'attitude des Frères Suisses lorsque, dans l'un de ses articles, il examine sous l'angle moral la joie devant la « chute de Babylone ». Il met alors en question nos propres *a priori* de lecture, et souligne notamment, en rapport avec le jugement des méchants décrit dans la littérature apocalyptique, que notre étonnement devant l'idée de vengeance vient, en Occident actuellement, de notre « style culturel protégé », qui nous enseigne « de quelle manière la gentillesse favorise un fonctionnement social sain »[1].

> « Nous ne sommes pas à l'aise, dira-t-il, avec le fait d'exprimer la colère, ou avec le fait de donner l'air d'être heureux de ce que des personnes méchantes récoltent ce qu'elles méritent. Je partage cet inconfort ; mais si notre tâche est de faire de l'éthique par delà les siècles plutôt que de coller des étiquettes dans une société polie, il est nécessaire de qualifier notre empressement à désavouer l'esprit de vengeance :

1. Se réjouir de la chute de personnes méchantes n'est pas propre à la littérature apocalyptique ; cela est tout aussi présent dans les Psaumes.
2. Avouer cette dimension viscérale peut être une manière de la discipliner ; je ne suis pas sûr que des gens qui crient fassent plus de dégâts les uns aux autres que des gens qui étouffent leurs voix. (Yoder voit dans cette dernière attitude une manière d'exprimer nos « *colder blooded nordic cultures* » qui tentent de se persuader qu'elles sont supérieures de celles de Méditerranéens plus expressifs).
3. Plus important encore : nous sommes capables d'énormes cruautés avec notre sens nordique de la mesure en rapport avec le sang et le langage (Yoder fait ici allusion à ce qui s'est passé à Hiroshima, ou à notre silence consentant devant des scènes où l'on prive les enfants de son propre pays des soins médicaux et de scolarité). La colère du Psaume 137 ou d'Apocalypse 18 laisse la porte (ou devrais-je dire la plaie) ouverte à un dialogue qui peut se

1. *Idem*, p. 124.

prolonger avec le message de la croix, ce qui, depuis Eusèbe, n'est pas concevable de par la montée en dignité de l'empire.

4. Les croyants, destinataires de l'épître de Jean (*sic* !), ne sont pas appelés à se joindre au carnage, et le peuple de Dieu ne passe pas non plus sa colère par le biais des destructions mentionnées dans les visions. Le rôle des croyants est le martyre.
5. Le grand trône dans les cieux (en Apocalypse 19) se réjouit de la victoire de Dieu : le motif de la joie n'est pas la chute de l'empire mauvais et la souffrance infligée à ses partisans, mais cela est admis comme faisant partie du coût de cette victoire. L'appétit humain commun de voir des mauvaises gens être maltraités pour prix de leurs actions ne me semble pas compatible avec certaines autres composantes de l'Évangile, mais mon jugement à ce sujet n'est pas le filtre légitime par lequel je ferai passer ce que les anciens visionnaires ont à me dire au sujet de la chute des tyrans.

Par là la question n'est pas résolue : est-il légitime pour nous de nous réjouir dans le fait que des méchants soient punis ? Un monde dans lequel le mal n'attirerait pas la destruction sur lui-même ne serait en aucun cas un monde meilleur »[1].

Dans cette perspective, le jugement est autre chose qu'une compensation psychologique[2] devant un mal subi, il fait partie de l'Évangile lui-même. C'est à l'Agneau qu'appartient le Jugement, déjà dans l'histoire. Avec lui également, il peut y avoir, dans l'histoire, apprentissage du pouvoir comme service, réconciliation et restauration.

Claude BAECHER
Directeur des études du Centre
de formation du Bienenberg (Bâle),
professeur associé à la Faculté libre
de théologie évangélique

1. *Idem*, p. 124 et 125.
2. *Idem*, p. 123. Les voyants bibliques ne compensaient pas leur désespoir – ou au moins ils ne disaient pas qu'ils le faisaient. Ils affirmaient qu'ils étaient engagés dans la doxologie, redisant leur proclamation de la résurrection dans un nouveau contexte. Ils témoignaient du fait que les pouvoirs d'oppression ont été engloutis dans l'histoire plus étendue de Dieu, alors que nos explications modernes tentent de le faire en sens opposé, en présupposant que Dieu parle dans nos propres visions de la dignité et de la thérapie humaines.

SECTION II
ESCHATOLOGIE ET VIE QUOTIDIENNE DANS L'ÉGLISE AUJOURD'HUI

Après une première partie qui examine le lien entre eschatologie et éthique dans l'histoire, cette deuxième section de l'ouvrage cherche à montrer quelques-uns des enjeux pour la vie d'Église aujourd'hui.

Nous avons un chapitre « général » et un chapitre « particulier ». Bernard Huck montre d'abord à partir d'une perspective biblique qu'il serait impossible d'échapper à l'eschatologie même si on en avait envie. Tous les aspects de la vie chrétienne et communautaire (le culte, l'éthique, l'évangélisation et la mission, l'engagement dans la société, le regard sur le politique) ont un lien étroit à l'eschatologie. À nous d'en être conscients et d'en tirer les conséquences.

Qu'y a-t-il de plus fondamental à l'Évangile si ce n'est le pardon ? Linda Oyer nous donne un regard pratique et exégétique sur sa mise en pratique individuelle et communautaire. Mais il ne s'agit pas de quelques conseils « pastoraux » ou « pragmatiques ». Il devient clair que le pardon est lié à la nature de Dieu lui-même et à l'avenir qu'il nous promet. Pardonner, c'est anticiper, c'est introduire une réalité nouvelle et future dans le quotidien. C'est une invitation à participer à la vie d'un Dieu qui cherche et qui initie la relation.

Eschatologie et vie d’Église

Traiter d’eschatologie, c’est un peu manier des explosifs. Le thème a produit tant de divisions dans l’histoire des Églises, a eu quelquefois des conséquences si fâcheuses, qu’il est important de rester prudent et calme. Mais il faut aussi faire face au problème, sans attendre que quelque nouvel illuminé se précipite dans le vide laissé par notre trop de circonspection, ou notre désintérêt volontaire. En effet, si l’histoire nous rappelle quelques faits désolants, elle nous montre aussi l’importance des conceptions eschatologiques dans la vie pratique des Églises : le rapport au monde, aux États, le caractère de leur vie cultuelle, des célébrations rituelles, de la vie communautaire, dans l’évangélisation, etc. Par ailleurs, une revue même rapide du Nouveau Testament met très vite en évidence la présence des thèmes eschatologiques dans toute réflexion sur la vie des Églises. Or nous constatons aujourd’hui une vraie déficience, voire une indigence dans ce domaine. L’eschatologie se réduit souvent aux controverses stériles sur les événements entourant le retour du Christ. Les thèmes classiques sont sécularisés, et on parle très peu de l’au-delà. Le poids de l’eschatologie dans la vie de l’Église est comme méconnu.

Il nous appartient donc de prendre ce problème à bras le corps, non seulement pour pallier à un manque, mais pour prendre conscience de ce « poids », et mieux en maîtriser les effets sur la vie de nos communautés. Pour cela nous opérerons en trois temps. Une revue néotestamentaire et historique nous servira de base et mettra en perspective la place de l’eschatologie dans tous les aspects de la vie de l’Église. Une réflexion sur quelques éléments de problématique nous montrera que la question n’est pas simple. Cette réflexion nous aidera à voir, en un troisième temps, comment les thèmes eschatologiques peuvent orienter et dynamiser notre pratique de vie d’Église.

1. Les faits

a. Les données du Nouveau Testament

i. Les Évangiles

Une revue rapide du texte de l'Évangile selon Matthieu nous montrera de quel poids la perspective eschatologique pèse sur l'ensemble de la démarche évangélique.

Qui niera que le Sermon sur la montagne soit un texte fondateur ? Il l'est quant au caractère du disciple, aux pratiques religieuses, à la vie de la nouvelle communauté. Or les thèmes eschatologiques y sont omniprésents.

Chacune des béatitudes (Mt 5), proclamant le bonheur dès ici-bas, malgré l'état d'humiliation, de faiblesse et de souffrance, est comme marquée au coin d'une espérance eschatologique : le Royaume des cieux, le rassasiement, la consolation, la miséricorde, voir Dieu. Le bonheur est vécu dans une tension vers l'avant. Les fameuses affirmations « Mais moi je vous dis... », qui posent le croyant face à la Loi de Dieu, se situent dans la perspective de l'au-delà : entrer dans le Royaume des cieux (Mt 5.20), la géhenne (v. 22),. l'avenir (v. 36). C'est « le Père qui est dans les cieux » qui récompense la pratique discrète de la justice (Mt 6.5), et l'aumône faite dans le secret (v. 4). C'est « dans le ciel » qu'il faut s'amasser un trésor (v. 19), c'est le Royaume et sa justice qu'il faut rechercher avant tout (v. 33) ; il ne faut pas juger par crainte du jugement dernier (Mt 7.1), et entrer par la porte étroite pour trouver le chemin de la vie (Mt 7.14). C'est également dans la perspective du Royaume des cieux que les faux prophètes sont dévoilés (Mt 7.22). La vie de l'Église, selon nous, commence là, dans ce Sermon fortement tendu vers l'au-delà.

La suite de l'Évangile confirme cette orientation. C'est le festin eschatologique dans le Royaume des cieux, où « plusieurs viendront de l'Orient et de l'Occident et se mettront à table avec Abraham, Isaac et Jacob » (Mt 8.11) qui soutient le fait que, par la foi, même un centenier romain peut bénéficier de la puissance de vie et de guérison qui est en Jésus. Les démons qui minent les démoniaques gadaréniens (Mt 8.28ss) tremblent devant Jésus en pensant à la punition dernière : « Es-tu venu nous tourmenter avant le temps ? ». La « mission » selon Jésus est la « prédication du Royaume » (Mt 9.35), la « moisson » pour laquelle il y a peu d'ouvriers (v. 36-37), thème eschatologique classique. Les disciples envoyés en mission dans les villes d'Israël doivent prêcher la proximité du Royaume (Mt 10.7), et le jugement (v. 15) ; face aux persécutions, ils doivent « persévérer jusqu'à la fin » (v. 22-23).

Les « paraboles du Royaume » (Mt 13) : le semeur, l'ivraie, le grain de moutarde, le levain, le trésor caché, la perle, le filet, sont toutes eschatologiques, tendues vers l'avenir.

Les deux seuls textes contenant le mot « Église » ont cette dimension. Sur la base de la déclaration de Pierre (Mt 16.18), Jésus affirme qu'il bâtira son Église, et que « les portes du séjour des morts ne prévaudront pas contre elle ». Le passage sur la discipline dans l'Église locale (Mt 18.15ss) lie au ciel ces affaires pourtant très terre à terre : « Ce que vous lierez sur la terre sera lié dans le ciel, et ce que vous délierez sur la terre sera délié dans le ciel ».

Le chapitre 20 de Matthieu traite des ministères en opérant un renversement radical des valeurs : non pas les plus grands, les plus forts, les plus expérimentés, mais les « ouvriers de la dernière heure » qui manifestent la grâce et la souveraineté de celui qui appelle. De même dans la demande des Fils de Zébédée (v. 20ss) l'esprit de service et de non domination est situé dans une perspective eschatologique (être assis à la droite et à la gauche de Jésus dans le Royaume).

L'institution de la cène (Mt 26.29) ne manque pas à cette dimension : Jésus boira du vin nouveau dans le Royaume de son Père. La cène est célébrée « jusqu'à ce qu'il vienne » (1 Co 11.26).

Les grands textes de la dernière semaine (Mt 21ss) sont tous tendus vers les fins dernières : les paraboles des vignerons, des noces ; les sadducéens et la résurrection (22.23ss), l'Avènement du Fils de l'Homme (24), la parabole des talents (les ministères dans l'Église...), le jugement des nations (25) et l'attitude à l'égard des pauvres, de ceux qui souffrent.

L'Évangile se termine par l'envoi missionnaire (Mt 28.18-20) et l'assurance de la présence de Jésus « jusqu'à la fin du monde ». Ainsi, toute la vie du disciple et de l'Église est placée dans cette tension, vers l'avenir, en attendant le retour, le Royaume.

ii. Le livre des Actes des Apôtres le confirme

La Pentecôte, qui voit la fondation de l'Église par l'envoi du Saint-Esprit, est la réalisation d'une promesse pour « le Dernier Jour » (Ac 2.17). Les manifestations très concrètes de ce jaillissement de l'Église peuvent faire penser à une sorte d'atmosphère de fin du monde, de réalisation du Royaume : la si belle unité des croyants réunis, faisant « caisse commune », et prenant leurs repas ensemble (fin du chap. 2), les miracles, les jugements terribles (chap. 5), la croissance extraordinaire de la communauté, le heurt avec les autorités au plus haut niveau, les conversions spectaculaires (l'Ethiopien, Corneille, Saul de Tarse).

iii. Les grands textes des Épîtres sur la vie des disciples et de l'Église intègrent toujours la perspective eschatologique. Quelques exemples suffiront.

Les relations si délicates entre membres d'une même communauté ecclésiale, relations impliquant amour, pardon, respect réciproque, trouvent dans un certain nombre de textes leur raison d'être dans l'eschatologie. Ainsi le fameux passage de Romains 12.17-21 sur la non-vengeance recommande de remettre cette vengeance au Seigneur, au dernier jour, en citant Deutéronome 32.35. C'est aussi le « tribunal du Christ » qui est invoqué dans Romains 14.10-11 exhortant à respecter le frère dans ses convictions qui ne sont pas forcément les miennes. La perspective du Retour tout proche est un puissant stimulant pour une vie sans débauche, ni discorde et jalousie (Rm 13.11-14), celle de la « dissolution de toutes choses » (2 P 3.11-13) pour une conduite et une piété saintes.

En ce qui concerne l'activité des chrétiens, leur place dans l'Église, les ministères, l'eschatologie tient une grande place. C'est la conclusion du grand chapitre sur la résurrection (1 Co 15) : « Travaillez de mieux en mieux à l'œuvre du Seigneur ! » (v. 58). Le but des ministères est de faire parvenir la communauté chrétienne à la « stature parfaite du Christ » (Ep 4.13), de faire paraître les enfants de Dieu devant lui « saints, sans défaut et sans reproche » (Col 1.21-22), « parfaits en Christ », « Christ en vous, l'espérance de la gloire ! » (Col 1.27-29 ; 3.4). L'enseignement de Paul sur l'enlèvement de l'Église et la résurrection (1 Th 4) a pour finalité l'exhortation et l'édification mutuelles (1 Th 5.11) à la sobriété et à l'amour. Ses développements sur les événements qui entoureront le Retour : apparition de l'antichrist, signes et prodiges dans 2 Thessaloniciens 2, trouvent leur prolongement naturel dans l'exhortation à la mission (3.1-2), au travail manuel paisible (v. 12).

Même la prédication est solennellement mise en avant (« Prêche la parole, insiste en toute occasion, convaincs, reprends avec toute patience et en instruisant », 2 Tm 4.2) parce qu'elle est prononcée « devant le Christ Jésus qui doit juger les vivants et les morts, et au nom de son avènement et de son Royaume » (v. 1).

iv. L'Apocalypse

La preuve sans doute la plus claire du fort lien entre la vie d'Église et l'eschatologie est sans conteste l'Apocalypse de Jean. Ce livre n'est pas réservé à quelque spécialiste, exégète enfermé dans son bureau pour déchiffrer plus tranquillement et avec science ses paroles obscures, ni à quelque nouvel illuminé qui en aurait enfin compris le sens, il est pour le bonheur de « celui qui lit et ceux qui écoutent » la lecture de la prophétie écrite (Ap 1.3). C'est la situation typique de la lecture traditionnelle de la lecture de la Thorah dans les synagogues, poursuivie dans les premières communautés chrétiennes. Ce livre est donc lu « dans l'Église », et aussi « pour l'Église » comme en témoignent les chapitres 2 et 3. L'Église apparaît sans cesse sur la scène prophétique (chap. 7, 11, 12, 14, 17-18, etc.), mais le sommet, la fin, l'aboutissement du livre, c'est la « Nouvelle Jérusalem », la ville qui rassemble pour toujours et dans la perfection Dieu, l'Agneau et ses serviteurs.

Les textes bibliques sont donc d'une très grande richesse pour le sujet qui nous occupe, mais

b. L'histoire de l'Église

L'histoire témoigne elle aussi de ce poids des thèmes eschatologiques sur sa vie et ses pratiques. Des études approfondies et « ciblées » apportées dans le même cadre que celle-ci le montrent amplement. Il nous suffira donc de rappeler brièvement le problème du « retard de la parousie » dès les derniers livres du Nouveau Testament, l'importance de la félicité et de la gloire célestes pour les martyrs des premiers siècles et lors de toutes les persécutions, l'ouvrage fondamental de St Augustin *La Cité de Dieu*, qui marquera le Moyen Âge. Tous les soubresauts de cette dernière période sont liés à des thèmes eschatologiques : la peur de l'an 1000, l'impact des écrits de Joachim de Flore, les remous causés par le mouvement Vaudois. Les thèmes eschatologiques orientent aussi puissamment la Réformation du XVIe siècle, et les réveils postérieurs : puritains, baptistes, piétistes[1] et les mouvements plus ou moins « sectaires » qui vont marquer le XIXe siècle (darbysme, adventisme, Témoins de Jéhovah, etc.).

1. Que l'on pense aux destinées étonnantes de l'ouvrage de John Bunyan, écrit en prison : *Le Voyage du Pèlerin*, où la tension eschatologique est si forte. Cet ouvrage, paru pour la première fois en 1678 (1re partie) et 1685 (2e partie) a tout de suite été traduit et largement diffusé en Allemagne dans le sillage du mouvement piétiste, puis en français au tout début du XVIIIe siècle, accompagnant les mouvements de Réveil jusqu'au XXe siècle.

Il est sans doute possible ici d'avancer la thèse suivante : la redécouverte et la réinterprètation des éléments apocalyptiques de l'eschatologie, ou la remise en perspective eschatologique de l'ensemble de la théologie conduit à un réveil de l'Église, à une redynamisation de sa vie, de son activité, de ses buts.

Cela a été très net lors de la Réformation ; tous les mouvements avaient en commun :

- l'identification du Pape avec l'Antichrist, ce qui justifiait la scission d'avec le catholicisme romain.
- la foi intense en une ère nouvelle imminente (ou une crise finale proche), ce qui motivait l'engagement pour une réforme profonde et l'espérance d'un changement[1].
- la prise de conscience du jugement proche des impies, ce qui aidait à supporter les persécutions et à aller de l'avant malgré tout.

Les mouvements de réforme ou de réveil s'inscrivent donc dans une histoire dynamique avec une puissante référence à l'ultime. Ils reprennent les mêmes thèmes eschatologiques, et pourtant, ils peuvent différer considérablement entre eux, et même souvent se combattre. Cette reprise est donc liée à un certain nombre de problèmes que nous allons essayer de mettre en évidence.

2. Problématique

a. Eschatologie récupérée ou théologiquement productive ?

Ou encore, dit en d'autres mots, la reprise des thèmes eschatologiques constitue-t-elle un puissant motif de renouveau théologique, ou n'est-elle là que pour justifier une situation ici et maintenant ?

Cette reprise a souvent été le fait de minorités persécutées. La tentation est grande, et la tendance bien naturelle, de justifier ces persécutions en se référant au faible reste fidèle des derniers temps souvent évoqué par la Bible, cible privilégiée du déchaînement de la fureur des

---

1. Voir l'importance du thème eschatologique dans le « manifeste » du piétisme rédigé par Spener, ses *Pia desideria*, en introduction aux « Postilles » de Jean Arndt : les Juifs vont se convertir (Rm 11), la Rome papiste va bientôt tomber (Ap 17-18), Dieu a fait des promesses claires pour la perfection de l'Église (Ep 4 ; Ph 3.15 ; etc.), il y a donc un espoir de réveil de l'Église. Cf. SPENER, *Pia desideria,* Strasbourg, Arfuyen, 1990, chap. 2, p. 51-62, « L'état meilleur promis par Dieu à son Église ».

nations et de l'Antichrist. L'intransigeance, la radicalité, le séparatisme s'appuient fort bien sur les textes qui recommandent aux fidèles des derniers temps de ne pas se souiller avec les autres, de « tenir ferme ce qu'ils ont » (Ap 2.24 ; 3.11), de sortir de la Babylone impie pour ne pas participer à ses péchés (Ap 18.4). La question est de savoir si c'est la redécouverte de ces thèmes qui a produit la radicalité, ou si cette « découverte » est venue après coup pour la justifier et aider à tenir bon face à l'opposition.

Il n'est pas toujours facile de distinguer entre les deux. Dans le Nouveau Testament, les thèmes eschatologiques se présentent le plus souvent comme de puissants motifs théologiques pour la sainteté de vie par exemple (Rm 13.11-14) ou pour une activité renouvelée (1 Co 15.58). La redécouverte du Nouveau Testament et de ces thèmes peut donc naturellement amener à une telle radicalité. Mais il peut aussi y avoir une sorte de mouvement de va-et-vient entre les deux motifs. Le schéma apocalyptique du petit troupeau persécuté mais finalement vainqueur console des souffrances actuelles, mais il m'apprend aussi qu'il y a là une voie « normale », voire nécessaire au croyant fidèle. Les deux perspectives peuvent donc jouer un rôle important en se renforçant l'une l'autre.

b. Herméneutique

Nous l'avons constaté, une même redécouverte apocalyptique peut amener à des positions théologiques et à des pratiques très différentes. Cela est dû à la manière dont ces textes sont compris dans leur application à l'*ici et maintenant* des lecteurs, c'est-à-dire à un problème herméneutique.

i. Eschatologie réalisée, inaugurée, spiritualisée

C'est tout le problème de la tension entre le « déjà là » et le « pas encore », présente dans tous les thèmes eschatologiques : le Royaume, le Jugement, l'Antichrist, la tribulation, les signes du Retour, etc. Les « présentifications » de ces thèmes sont multiples, et les conséquences pratiques pour la vie de l'Église importantes.

Un exemple célèbre du début du XVIe siècle illustrera ce problème. Pour Zwingli à Zurich, le Jour de l'Éternel est là, le Christ glorifié agit déjà dans la cité, le combat entre le monde et l'Église est gagné (ou presque). C'est une eschatologie « réalisée », le Christ glorieux arme son peuple pour la réalisation de « ce jour-là » et c'est par l'épée, maniée par les croyants, que le Royaume de Dieu s'établit dans la cité.

Pour quelques-uns de ses compagnons, qui s'appelleront plus tard les « Frères Suisses », et dont sont issus les mennonites, le Royaume de Dieu est bien là, cependant il s'inaugure et se réalise non pas dans la cité, mais dans l'Église, et cela par les croyants fidèles, en opposition avec le monde. Et cette opposition se marque tout spécialement dans l'emploi des moyens pour l'établissement de ce Royaume. L'épée, la mort et la coercition sont le fait du monde ; l'amour, le pardon, la non-violence caractérisent l'Église, ce petit peuple de croyants qui se détache du monde.

Luther, lui, comprendra que le chrétien est citoyen de deux royaumes, le céleste et le terrestre ; il est en tension constante entre les deux, comme il est aussi toujours pécheur et toujours pardonné, comme la croix est défaite et victoire tout à la fois. Le compromis entre l'Église et l'État ne sera pas toujours facile à trouver., surtout en situation d'Église dite « de multitude ».

ii. Variations sur un thème

Un même thème peut trouver des applications très diverses, selon les interprètes et selon les époques. Le thème de « la grande prostituée », par exemple, qui dans Apocalypse 17-18 semble bien être l'empire romain de l'époque et les pouvoirs qui en dépendent, prostitués au diable et persécuteurs des croyants, devient, d'une manière générale au XVIe siècle dans les mouvements de Réforme, le catholicisme romain qui a « tourné sa veste » doctrinalement en prêchant le salut par les œuvres, et pratiquement en faisant du pape la tête de l'Église à la place du Christ.

La bête d'Apocalypse 13 sera pour Félix Mantz, Ulrich Zwingli lui-même, car il maintient le baptême des enfants (« la pire abomination du pape » pour la confession de Schleitheim), et utilise le glaive pour imposer la Réforme. Chacun voit, selon ses convictions et les problèmes de son temps, la réalisation de tel ou tel thème eschatologique dans les hommes et les évènements contemporains.

c. Les thèmes eschatologiques privilégiés

Dans le grand nombre de thèmes présentés par la Bible, un choix est fait, souvent en fonction de telle ou telle conviction théologique ; les conséquences pratiques en sont chaque fois importantes.

Dans un article récent[1], Jacques Buchhold, professeur de Nouveau Testament à la Faculté Libre de Théologie Évangélique de Vaux-sur-

1. « La croissance de l'Église selon le Nouveau Testament », in *Fac Réflexion* n° 45, 1998/4, p. 4-17.

Seine, constate avec d'autres spécialistes que le verbe « évangéliser » a dans le Nouveau Testament un sens plutôt technique, réservé semble-t-il à des personnes qui ont un ministère particulier d'évangéliste. L'exhortation à « évangéliser » n'est pas adressée à tous les chrétiens, contrairement à ce qui se dit habituellement dans beaucoup d'Églises. Par contre, ce que tous doivent faire, c'est être prêts à témoigner en toute occasion de leur caractère chrétien par la parole et les actes (Col 4.5-6 ; 1 P 3.15-16). Cet auteur voit une relation directe entre ce fait linguistique et la conception biblique de la relation eschatologique de l'Église et du monde :

> « En effet, le but ultime du plan de Dieu n'est pas l'enlèvement de l'Église mais son installation sur une terre transfigurée, régénérée (Mt 19.28). Notre espérance n'est pas de fuir le monde, mais de voir ce monde racheté lors de la résurrection et de la descente de la nouvelle Jérusalem.
>
> Le désir de voir les hommes se tourner vers Jésus-Christ ou parfois, de façon moins noble, l'obsession de la croissance numérique de l'Église conduisent certains à vouloir faire de tous les chrétiens des prédicateurs de la Parole en les engageant, parfois jusqu'à les embrigader, dans toutes sortes d'activités d'évangélisation : on les extraie ainsi, d'une certaine manière, de leur environnement. Or, à cause de la vision biblique du rapport eschatologique entre l'Église et le monde, les croyants doivent plutôt être encouragés à s'investir dans les structures créationnelles dans lesquelles ils sont naturellement impliqués, structures familiales, sociales, professionnelles ; il faut leur apprendre à rendre compte de leur espérance au sein de ces structures, en étant sur le qui-vive que fait naître l'Évangile de paix »[1].

Puis il pose le problème de nos communautés qui ne sont plus des lieux d'accueil, de vie, où ce témoignage peut se rendre facilement ; puis la question de la « démocratisation » de la responsabilité d'évangéliser qui fait mépriser les ministères particuliers d'évangélistes, spécialistes de l'évangélisation. Tout ceci représente un bel exemple de choix eschatologique aux conséquences pratiques importantes sur la vie d'Église, les ministères, le témoignage chrétien dans la société.

---

1. *Idem*, p. 10-11.

Toutes les époques et tous les groupes chrétiens ont été marqués par des choix eschatologiques aux conséquences importantes. Le thème du Christ juge (Mt 25) si souvent représenté dès l'entrée des cathédrales gothiques frappe comme d'un sceau la spiritualité du Moyen Âge, conditionne les croyants dans leurs devoirs religieux et souligne le rôle de l'Église et des sacrements. Le règne de paix (ou millénium) sur la terre (ou dans, ou depuis le ciel) avant ou après le retour du Christ va déterminer un engagement socio-politique ou non, un optimisme à l'égard de l'avenir ou tout le contraire. Le darbysme, ce christianisme sans Église terrestre et sans « ministères » est né de la conviction de la disparition de l'Église dès la fin du Nouveau Testament.

Nous sommes donc invités à la fois à l'audace et à la prudence. Audace pour redonner à l'eschatologie toute sa place dans la doctrine et la vie de l'Église, puisque l'histoire semble bien nous montrer que le renouveau de l'Église est lié à une redécouverte de l'espérance eschatologique. Prudence, au vu des conséquences importantes, si non dramatiques des choix, des excès, des pressions tendancieuses exercés par tel ou tel thème concernant les évènements de la fin. Théologie et pratique sont ici tout particulièrement imbriqués.

Pour à la fois prévenir et encourager, passons en revue quelques aspects de la vie de l'Église et voyons comment ils peuvent être liés à l'eschatologie.

3. Pratique

a. La vie intérieure de l'Église

i. Conversion et sanctification

Une Église locale est le reflet de ce que sont ses membres, ceux qui « l'habitent » régulièrement, qui y sont actifs, mais aussi ceux dont la présence est plus passive ou sporadique. Or, tout commence à l'entrée dans l'Église. Comment y entre-t-on, comment en devient-on membre ?

L'expérience fondamentale semble bien être la *conversion*. Or qu'est-ce que la conversion ? Une option, un choix pour un certain type de vie, un système de valeurs nouvelles, une militance particulière ? Ou, dans la ligne piétiste, une transformation, une nouvelle naissance provoquée par l'Esprit Saint après une profonde conviction de péché, en vue d'une vie pieuse et consacrée à Dieu ? Ou encore, dans la foulée revivaliste, le fait d'échapper à l'enfer, de saisir le pardon de Dieu, la purification des péché, l'assurance de la vie éternelle, à la suite d'une expérience spirituelle bouleversante ? La vision de la Nouvelle Jérusalem, du nouveau Temple vers lequel le peuple racheté est en marche, dans la souffrance et les épreuves à la suite du Christ, donne une compréhension très particulière de ce qu'est un chrétien. La Nouvelle Jérusalem est radicalement autre que l'impie Babylone, asservie aux pouvoirs oppressants de toutes sortes, à cheval sur la bête immonde ivre du sang des saints (Ap 17.6). C'est un peuple radicalement autre, qui marche dans l'espérance, conduit par l'Agneau qui a déjà tracé le chemin (Ap 7.17). Ce peuple est en marche, « étranger et voyageur » (1 P 2.11), au propre et au figuré, mais c'est le peuple de Dieu dont la citoyenneté est au ciel, un peuple qui a obtenu miséricorde.

Il marque sa différence dans ce que la théologie nomme « *sanctification* ». On a noté à cet égard l'évolution de l'anabaptisme pacifique entre le XVIe et le XVIIe siècle : le passage d'une théologie de la souffrance à la suite du « Christ amer » à une théologie de l'humilité, souvent synonyme de « simplicité », de discrétion, voire d'austérité. En tout cas, une théologie plus « installée » au sein de la persécution, et sans doute sous influence du piétisme et de ses évolutions. Mais la sanctification d'un peuple radicalement « tout autre », non conformiste, en marche vers la Nouvelle Jérusalem marque sa différence par des valeurs originales : pauvreté, amour, pardon, service, non violence et souffrance. Le problème de la sanctification n'est pas tellement celui d'une « amélioration » d'une nature imparfaite, l'acquisition lente des vertus qui lui permettront de devenir peu à peu cette vierge pure prête pour son Époux céleste. Ces valeurs du Royaume, si bien présentées dans le Sermon sur la montagne, il les revêt dès son entrée dans le peuple racheté, et il les vit et les pratique tout au long du voyage. Et c'est vraiment un voyage, tout tendu vers l'avenir. Cette tension eschatologique devrait le garder d'une sclérose fâcheuse où différence et non-conformité ne seraient plus qu'attachement au passé, style de vie (mondain en réalité) d'autrefois.

Cette vision eschatologique est celle d'un peuple, elle est communautaire. Une vision trop individualiste tend vers l'amour fusion, l'attente et la préparation à la grande Union. Une vision plus communautaire se réalise dans un peuple en marche, dans un amour en action, préoccupé de relations, qui organise la vie d'un peuple selon les valeurs du Royaume qui vient.

ii. Vie communautaire

Ce peuple en marche est *une fraternité*. Mais ce n'est pas une fraternité centrée sur elle-même qui raisonne ainsi : « On est si bien ensemble, prenons garde aux étrangers ! » Elle est en marche vers le Royaume. Son problème est de vivre déjà selon les lois de ce Royaume, et chacun s'y exhorte et y exhorte les autres ; ce peuple est solidaire dans la souffrance, marchant d'un même pas. Tout en étant ce peuple à part, qui marque sans cesse sa différence, il est une fraternité « ouverte » et non pas un club fermé pour initiés. Cela semble une contradiction dans les termes, et pourtant, « eschatologiquement », ce n'est pas une contradiction. Lors de la guérison du serviteur du Centenier (Mt 8.5-13) Jésus, à la surprise générale, déclare que, même en Israël, il n'a pas trouvé une foi aussi grande que celle de ce Romain, et déclare que « plusieurs viendront de l'Orient et de l'Occident et se mettront à table avec Abraham, Isaac et Jacob » (v. 11). C'est le regard eschatologique qui nous délivre de nos nationalismes spirituels, de nos ghettos culturels, de nos normes partisanes, et nous amène à plus d'humilité et d'ouverture.

La *discipline* elle-même, pierre d'angle de notre notion d'Église de professants est, dans cette perspective, vue beaucoup moins comme une purification interne pratiquée par des purs qui excluent les déviants, que comme une discipline mutuelle pour rester ce peuple de Dieu en marche voulant vivre les valeurs du Royaume vers lequel il se dirige. Il y a des exigences particulières à une caravane qui traverse une zone hostile, des comportements impossibles car ils compromettent l'ensemble de l'effort et sont totalement étrangers à la situation, et à la destination vers laquelle on est tendu.

iii. Vie cultuelle

Certes, le culte est la rencontre privilégiée de la communauté, le moment où elle se manifeste dans son amour, sa chaleur, et où le Royaume qui vient est vécu intensivement. Mais justement, ce Royaume est « au-delà », à venir, même s'il est déjà « en nous ». L'eschatologie devrait donner à nos cultes un peu plus de transcendance, une dynamique orientée un peu plus « vers le haut » ! La louange n'est pas adoration statique de l'Un immuable, c'est celle, comme dans les Psaumes, d'un peuple racheté, inondé de la joie de la délivrance, ou dans l'attente qui se veut confiante de cette délivrance. L'adoration, c'est celle du Dieu créateur, comme dans les chapitres 4 et 5 de l'Apocalypse. Un Dieu en communion avec les millions d'anges qui l'entourent et avec les milliards d'êtres de la création. L'adoration de l'Agneau debout au milieu du trône, comme immolé, mais victorieux dans la plénitude de sa force (les sept cornes) et de son intelligence (les sept yeux), le « lion de la tribu de Juda », le « surgeon » de David, cette petite pousse, prémisse du futur chêne qui sort du tronc décapité de l'ancien.

La *prédication* est partie intégrante de ce culte, car vitale pour un peuple en marche devant sans cesse faire face à des situations nouvelles en se conformant toujours plus aux normes du Royaume. Et ces normes, elles sont fixée dans l'Écriture, la Bible, guide sûr, parole de Dieu lui-même pour l'ici et maintenant de son peuple en marche. Cette parole fait du culte un lieu de guérison, de soutien mutuel indispensable, de solidarité vitale, un lieu où l'on apprend à souffrir ensemble, où l'on reprend pied ensemble, où l'on poursuit sa route en comptant les uns sur les autres.

Le *baptême* n'est pas rituel initiatique d'entrée dans le club fermé, mais « envoi », « engagement d'une bonne conscience envers Dieu » (1 P 3.21) comme aimaient le rappeler nos anciens, passage de la mort à la vie par la puissance du Saint-Esprit qui nous envoie.

La *cène*, si elle « fait mémoire » du sacrifice parfait qui nous a ouvert le ciel, anticipe le repas eschatologique qui nous attend. Il annonce la mort du Seigneur « jusqu'à ce qu'il vienne ». La joie peut donc se manifester, reconnaissance d'une communauté nouvelle qui est ce « corps » qu'il faut sans cesse apprendre à discerner. C'est un lieu de communion dans l'espérance du royaume qui vient, et de guérison pour pouvoir continuer la route, un lieu fort d'espérance renouvelée.

b. L'Église et le monde

Mais quels genres de rapports ce peuple en marche va-t-il entretenir avec le monde qui l'entoure ?

i. L'évangélisation

Consistera-t-elle seulement à faire des adeptes, des convertis, où à investir tous les secteurs de la société pour y témoigner du Christ et la préparer au « renouvellement de toutes choses », donc à son propre renouvellement ? La tension eschatologique me semble pousser dans une autre direction qui réunit ces deux alternatives tout en les modifiant dans la dynamique du « déjà là » et du « pas encore ». Le peuple en marche est certes tendu vers le but à atteindre, le Royaume qui vient. Il s'efforce déjà de vivre les valeurs du Royaume en son sein, il est convaincu que ces valeurs sont bonnes et même vitales pour le monde qui l'entoure, et il fera son possible pour le démontrer en des actes d'engagement concrets dans les problèmes de la société. Mais il sait que ces actes restent et ne sont que prophétiques, ils montrent le chemin vers le Royaume, annoncent ce Royaume et appellent, dramatiquement, à rejoindre ce peuple en marche vers « les nouveaux cieux et la nouvelle terre » pour échapper au jugement du monde actuel. L'important n'est donc pas de transformer le monde où nous vivons, d'établir le Royaume de Dieu sur la terre, mais de témoigner de ce Royaume vers lequel l'Église est en marche, ce Royaume présent dans un « déjà là », mais aussi dans un « pas encore » qui la mobilise sans cesse. Ce témoignage est un appel puissant à la rejoindre ! Et la rejoindre, c'est devenir membre de ce Royaume qui vient par la foi en l'œuvre du Christ sur la croix, par la nouvelle naissance qui va permettre une vie différente. L'Église en marche regarde vers l'avant, certes, et c'est vital pour elle, mais ce regard la conduit à un engagement concret dans le monde où elle se trouve pour témoigner du Royaume et appeler à la rejoindre afin que ce peuple grandisse au fur et à mesure de sa progression et que soient plus nombreux ceux qui sont arrachés à ce monde voué à la destruction.

ii. Le rapport aux pouvoirs

Ce peuple dérange, c'est manifeste. Ces immigrés et voyageurs sont étranges. Ils ont leurs propres lois, bien qu'apparemment soumis à celles du pays. C'est difficilement supportable, cela irrite. Il ne faut donc pas s'attendre à beaucoup de sympathie, à un « accueil » favorable. Mais il sera nécessaire, à l'occasion de « dire les choses comme elles sont », comme Jésus l'a fait avec les Pharisiens, et Paul avec les autorités juives et romaines, Il faudra, comme tout voyageur avisé, avoir quelque discernement. La tension eschatologique nous apprend « qu'un antichrist vient, mais voyez, il y a (déjà) plusieurs antichrists » (1 Jn 2.18). L'Apocalypse toute entière est tendue vers le discernement de cet antichrist, ce pouvoir universel qui lutte contre Dieu et dont le dragon, la bête et le faux-prophête, la Babylone des chapitres 1 à 18 sont les manifestations. Et il n'est pas simple de les dévoiler, de les discerner, de « sortir du milieu d'elle » (18.4). L'effort sera constant et demandera beaucoup de vigilance, de concertation communautaire. Tout au long de leur histoire, les communautés anabaptistes-mennonites se sont appliquées à ce discernement avec des fortunes diverses, et surtout beaucoup de condamnations mutuelles. Se centrer sur soi et sur le passé, former un ghetto culturel ont souvent conduit à de fausses solutions qui se sont révélées des pièges où l'on est retenu captif. À l'heure des nouvelles technologies, de la mondialisation, des technique modernes qui décuplent le pouvoir de l'homme, ce discernement eschatologique doit se faire plus aigu et plus réaliste.

iii. Le rapport à la société

Sans se faire aucune illusion sur son avenir, dans la mesure où la distinction entre le monde et l'Église peuple de Dieu en marche est clairement maintenue, le témoignage chrétien montrera qu'il y a une alternative à ce que le monde vit jour après jour, par des actes prophétiques. Une eschatologie « non réalisée », mais inaugurée peut conduire dans ce sens. Il sera nécessaire de *dénoncer le mal*, comme anticipation du jugement qui vient et auquel de toute façon personne n'échappera. Il faudra *proclamer les valeurs du Royaume* par des actes qui pourront paraître anachroniques, irréalistes ou incompréhensibles, et qui sont cependant sagesse et seule façon de faire face au mal et de le vaincre (Rm 12.20-21). Il faudra *évangéliser* par ce témoignage, mais aussi par la parole claire de l'Évangile proclamé, en renversant les forteresses de la fausse intelligence, en convainquant (2 Co 10.5) et ceci avec d'autant plus de conviction qu'il s'agit d'une situation d'urgence eschatologique, comme le Nouveau Testament l'exprime si souvent.

Le rapport aux « grandes Églises » est à cet égard fort complexe. Autrefois totalement ou presque intégrées à la société, elles prennent aujourd'hui un caractère professant qui nous est sympathique, mais tout en gardant souvent les réflexes d'autrefois. Une réelle vision eschatologique nous conduit à discerner une communauté qui transcende cette situation mondaine compliquée, à aller au-delà des « dénominations », à discerner entre les systèmes et les personnes, tout en restant vigilant et en ne cessant pas de rendre témoignage dans l'humilité et l'espérance.

Rien n'est donc simple dans ce « voyage ». Mais c'est avec joie et confiance que nous le poursuivons, stimulés par cet avenir toujours là, devant nous, les yeux fixés sur une personne, le Christ, l'Époux qui nous a précédés, nous attend, tout en se tenant constamment à nos côtés. Au-delà des systèmes parfois contradictoires ou ennemis, des dangers réels de dérives, des mauvais choix, d'amplifications néfastes, des « enthousiasmes » dangereux, la réalité eschatologique non seulement dynamise notre réalité d'Église et de vie personnelle, mais l'oriente, la polarise, la fait progresser dans le bon sens. Sans espérance, il n'y a plus de vie possible. Or cette vie est devant nous dans le programme que Dieu nous fixe. Ce qu'il a fait pour les disciples juste avant son ascension, en leur promettant toute la puissance du Saint-Esprit et les engageant dans un témoignage jusqu'aux extrémités du monde... et du temps, il le fait aussi pour nous aujourd'hui. Que leur tout nouveau et si extraordinaire dynamisme devienne aussi le nôtre !

Bernard HUCK
Professeur de théologie pratique
à la Faculté libre de théologie évangélique

Le pardon : une anticipation eschatologique

Vivre dans un monde déchu, c'est offenser et être offensé. Nous avons été créés pour vivre des relations harmonieuses et pleines d'amour, mais dans un monde marqué par la chute, nous connaissons bien souvent les blessures, le rejet, et la souffrance liés aux actes et aux paroles destructeurs. Dans nos relations les plus intimes, comme dans les plus distantes, nous subissons fréquemment l'offense… et ceci jusqu'à *l'eschaton* où Dieu établira sa nouvelle création parfaite.

Quand notre personne est agressée, nous répondons souvent et de façon presque instinctive par la *lex talionis* ou en construisant un mur entre nous et l'offenseur. Cependant, vivre dans un monde déchu, selon l'Évangile, c'est nous engager dans un processus de pardon et de réconciliation. Au cœur de l'enseignement de Jésus, nous trouvons la non-vengeance, le pardon et l'amour de l'ennemi. D'ailleurs la seule action humaine explicitement nommée dans la prière que Jésus a enseignée à ses disciples est le pardon : « Pardonne-nous nos offenses comme nous pardonnons aussi à ceux qui nous ont offensés ». Dieu nous a réconciliés avec lui et crée une nouvelle communauté, une nouvelle humanité qui attend la pleine réalisation des promesses de Dieu. En attendant ce « pas encore », nous, peuple transformé par le pardon reçu, sommes appelés à incarner ce pardon dans nos relations avec les autres et à travailler à la réconciliation.

Nous nous proposons d'examiner dans cet article les liens existants entre l'eschatologie et le pardon. Dans quel sens le pardon peut-il être perçu comme une anticipation eschatologique ? Avant de regarder le pardon dans cette perspective, il est important de préciser notre conception du pardon comme processus intentionnel de la part de l'offensé.

1. Le pardon comme processus

Le pardon humain ne se réduit pas aux mots « je vous pardonne ». Il n'est pas un acte unique, une sentence juridique qui efface le péché et acquitte l'offenseur. Dieu seul peut pardonner ou absoudre le péché dans ce sens juridique[1]. Le pardon entre les êtres humains est plutôt un processus intentionnel de la part de l'offensé en vue de la réconciliation avec l'offenseur. Comme nous le verrons plus tard, cette réconciliation ne peut pas avoir lieu sans un mouvement de repentance et une offre de restitution de la part de l'offenseur.

Examinons les éléments de ce processus, sans pour autant les réduire à une recette à suivre de façon mécanique[2].

Le processus du pardon débute avec une reconnaissance, par l'offensé, de la dette contractée : celle de la violation de sa personne et du mal subi. Sans cette reconnaissance, le processus ne peut être entamé. Pour pardonner pleinement, nous devons savoir ce que nous pardonnons, évaluer l'ampleur exacte de la dette. Ceci veut dire qu'il nous faut identifier les effets ainsi que les sentiments douloureux provoqués par la blessure : l'amertume, l'animosité, la colère, le ressentiment, la honte, la culpabilité, etc. L'objectif n'est ni de nier, ni de minimiser, ni d'excuser l'offense.

Le deuil constitue un autre élément du processus du pardon ; c'est une étape longue mais curative. Lorsque nous sommes offensés, nous subissons une perte, qu'elle soit matérielle, sociale, relationnelle ou intra psychique (la perte de l'image de soi ou de l'innocence suite à un abus sexuel, par exemple). Après chaque perte importante, s'ouvre une

---

1. Calquer strictement le pardon humain sur le modèle du pardon divin, n'est-ce pas introduire une confusion de rapport et s'arroger une prérogative divine propre à la sotériologie ? Si le pardon est vu comme une réponse finale, une sentence juridique que prononce l'offensé à la seule condition que l'offenseur se soit repenti, on peut se demander quel est le rapport entre le pardon humain et le pardon divin. Si l'offenseur se repent et demande pardon à l'offensé et à Dieu, mais que l'offensé refuse de lui pardonner, le pardon de Dieu sera-t-il lié au refus du pardon de l'offensé ? Si l'offensé pardonne mais l'offenseur ne se repent pas et ne demande pas pardon à Dieu, Dieu sera-t-il lié par le pardon de l'offensé ? Par ailleurs, s'il est vrai que les textes de Matthieu 18.18 et Jean 20.23 suggèrent un certain lien entre le pardon divin et le pardon humain, ils font explicitement référence à un contexte communautaire.

2. Pour d'autres suggestions sur les phases ou les composantes d'un processus du pardon, voir : R. STUDZINSKI, « Se souvenir et pardonner. Dimensions psychologiques du pardon », *Concilium,* 204, 1986, p. 28-33 ; B.B. CUNNINGHAM, « The Will to Forgive : A Pastoral Theological View of Forgiving », *The Journal of Pastoral Care,* 39, 1985, p. 141-149 ; ou L. BASSET, *Le pardon originel,* Genève, Labor et Fides, 1995, p. 437-448.

période durant laquelle nous faisons le deuil de ce qui aurait dû être ou de ce qui aurait pu être. Nous apprenons à vivre avec la réalité de la perte et à nous rendre compte que notre vie ne se résume pas au mal subi.

Dans le processus du pardon, il nous faut aussi faire le tri entre notre propre responsabilité et celle de la partie adverse. Il existe des situations où il y a clairement un offenseur et une victime innocente. L'exemple de Joseph, accusé injustement par la femme de Potiphar puis jeté en prison, relève de ce cas (Gn 39). Mais, souvent, nous sommes à la fois offensés et offenseurs. Dans une relation brisée, prise dans sa globalité et non pas limitée à un moment précis, la frontière entre offensé et offenseur n'est pas toujours si nette. L'autre nous a fait mal, mais peut-être sommes-nous partiellement responsables de la situation ou bien avons-nous aussi péché par notre réaction. Pour reprendre l'exemple de Joseph, celui-ci avait une responsabilité évidente dans la jalousie et la haine qu'éprouvaient ses frères à son égard.

Dans le cas d'une vraie culpabilité, nous pouvons confesser, demander pardon, et accepter le pardon de Dieu. Mais souvent nous sommes aux prises avec une fausse culpabilité. L'offense subie nous révèle notre propre vulnérabilité, notre fragilité humaine, et certaines attentes irréalistes que nous avons sur nous-mêmes. Parfois, ce qui nous fait le plus de mal dans une offense est le fait que nous n'étions pas à la hauteur de l'image que nous avions de nous-mêmes. Nous sommes ainsi placés face à notre vulnérabilité et nos faiblesses. Nous nous accusons à tort. En cas de fausse culpabilité nous avons à apprendre à « nous pardonner à nous-mêmes », c'est-à-dire à nous libérer d'une fausse culpabilité, à « relâcher » l'auto-condamnation[1]. « Se pardonner à soi-même » c'est accepter sa propre humanité, sa propre finitude. Cette étape est indispensable puisque notre difficulté à nous pardonner nous-mêmes explique souvent notre difficulté à pardonner à l'autre.

Un autre élément essentiel du processus du pardon apparaît dans le sens des trois verbes grecs utilisés dans le Nouveau Testament pour dire « pardonner ». Le verbe ἀφίημι est employé dans le sens « pardonner » surtout dans les Évangiles[2]. Il est traduit la plupart du temps par « laisser » ou « laisser aller », mais peut être aussi traduit par

---

1. Lorsqu'il s'agit d'une vraie faute de notre part, bien sûr, ce n'est pas nous qui nous pardonnons. Dieu seul pardonne le péché.

2. Matthieu 6.12, 14 ; 9.2, 5, 6 ; 12.31, 32 ; 18.21, 35 ; Marc 2.5, 7, 9, 10 ; 3.28 ; 4.12 ; 11.25, 26 ; Luc 5.20, 21, 23, 24 ; 7.47-49 ; 11.4 ; 12.10 ; 17.3, 4 ; 23.34 ; Jean 20.23 ; mais aussi en Actes 8.22 ; Jacques 5.15 ; 1 Jean 1.9 ; 2.12. Le seul usage de Paul de ce verbe dans le sens de pardonner est une citation des LXX en Romains 4.7.

« relâcher » une personne liée (Jn 11.44) ou « remettre » une dette (Mt 18.32). Le verbe χαρίσομαι, « accorder une grâce » ou « donner gratuitement », est employé par Paul pour exprimer le pardon[1]. Le verbe ἀπολύω traduit généralement par « relâcher » ou « libérer » un prisonnier (Jn 18.39) ou un débiteur (Mt 18.27), par exemple, est utilisé dans le sens pardonner en Luc 6.37.

Cette étape consiste donc pour l'offensé à « relâcher » la dette que l'offenseur lui doit. Ceci ne signifie pas qu'il va absoudre le coupable ou le considérer comme innocent ou justifié. Nous l'avons dit plus haut, Dieu seul peut innocenter l'offenseur. L'offensé laisse simplement le jugement entre les mains de Dieu. Il libère l'autre de sa dette dans le sens que ce qui s'est passé ne constitue plus une barrière qui l'empêche de chercher à rétablir la relation. L'offensé en pardonnant refuse que la relation soit basée sur l'acte offensant[2]. Il refuse que l'offense soit le dernier mot sur l'offenseur.

L'offensé « relâche » son amertume, sa colère, son désir de vengeance. Pardonner, c'est relâcher notre « droit » de faire du mal en retour, de nous venger de la violation de notre personne. C'est aller contre notre instinct naturel de vengeance. Comme le dit Studzinsky, « Pardonner, c'est dépasser le principe du talion »[3]. Jésus en Matthieu 18.22 demande de pardonner à son frère ἑβδομηκοντάκις ἑπτά. Que ceci soit traduit 70 + 7 fois = 77 ou 70 x 7 fois = 490, l'idée est que le pardon n'a pas de limite. Ces mêmes mots se trouvent dans le texte de Genèse 4.24 (dans la version de la Septante) où Lémek prévoyait de se venger 77 fois 7 fois[4]. Les paroles de Jésus peuvent être vues comme une référence inversée à Lémek. Ainsi le pardon prend le « contre-pied » de la vengeance[5].

Remettre la dette ne signifie en aucun cas l'abandon de nos luttes pour la vérité et la justice. Vérité et justice restent des aspects importants et nécessaires à la réconciliation. Quand nous sommes offensés, nous ne pouvons pas toujours tenir une comptabilité très juste[6]. Nous

---

1. 2 Corinthiens 2.7,10 ; 12.13 ; Éphésiens 4.32 ; Colossiens 3.13.
2. V. ELIZONDO, « Je pardonne, mais je n'oublie pas », *Concilium,* 204, 1986, p. 97.
3. STUDZINSKI, p. 25.
4. Nous utilisons le chiffre le plus grand traduisant bien l'idée de « sans limites ».
5. Le parallélisme en Luc 6.36-38 entre pardonner et donner, d'une part, et entre ne pas juger et ne pas condamner, d'autre part, nous incite aussi à comprendre le pardon comme un refus de juger ou de condamner.
6. Voir l'exemple de David qui est parti avec l'intention de tuer Nabal et tous ses hommes parce que celui-ci lui avait refusé de la nourriture (1 Samuel 25).

croyons bien souvent faire justice, alors qu'en réalité notre vengeance, trop lourde, se transforme à son tour en injustice et fait de l'offenseur une nouvelle victime. C'est seulement après avoir pardonné, surmonter notre sentiment de colère, notre amertume, et notre esprit de vengeance, que nous pouvons aspirer à travailler pour la justice et la restauration de la relation. Miroslav Volf, professeur de théologie à Yale (USA) et d'origine croate, écrit : « Seuls ceux qui ont été pardonnés et qui sont prêts à pardonner sont en mesure de rechercher sans relâche la justice sans être tentés de la pervertir en injustice… »[1]. Dans notre lutte pour la justice et la vérité, le pardon et la volonté de restaurer la relation sont donc prioritaires.

Enfin, le processus du pardon nous demande de rechercher une réponse appropriée à la situation. Faudra-t-il se confronter à l'offenseur et l'appeler à la repentance ? Faudra-t-il lui demander une réparation ou une restitution[2] ? Sera-t-il préférable de garder le silence ? L'affaire devra-t-elle être portée devant l'Église ou un tribunal ? Les situations sont souvent très complexes et il est difficile de trouver à l'avance quelle réponse sera la plus appropriée. Mais quelle que soit notre réponse, elle doit refléter un intérêt pour le bien véritable de l'offenseur et une espérance en la réconciliation. Le pardon ne se limite pas au choix de ne pas rendre le mal pour le mal, il va jusqu'à la recherche du bien de celui qui a fait le mal, jusqu'à la grâce faite à l'offenseur, jusqu'au don immérité. Jésus dit d'aimer, de bénir, de prier pour nos ennemis, ceux qui nous maudissent, nous haïssent, nous maltraitent (Lc 6.27, 28 ; Mt 5.44, 45). Paul, en parlant de notre manière de faire face au mal, recommande de bénir ceux qui nous persécutent, de faire du bien, d'aimer, et de chercher à vivre en paix (Rm 12.9-21). Bien sûr, notre réponse devra également traiter sérieusement le mal et l'injustice et ne pas banaliser la souffrance de l'offensé. Le pardon est un art et non pas une science ; un art auquel nous devons nous initier avec l'aide du Saint Esprit.

Il est important de souligner que le pardon n'est pas une fin en soi. Ce processus n'est pas simplement un acte thérapeutique qui procure un soulagement psychologique, une paix intérieure personnelle ou qui libère de l'amertume et du ressentiment. Nous ne pardonnons pas parce

---

1. M. VOLF, *Exclusion and Embrace. A Theological Exploration of Identity, Otherness, and Reconciliation*, Nashville, Abingdon Press, 1996, p. 123 (notre traduction).

2. Tout en sachant que l'offenseur ne peut jamais réparer intégralement le mal subi. Il ne peut pas défaire ce qu'il a fait. Même s'il y a restitution ou rectification, l'offenseur n'est pas capable de guérir la blessure émotionnelle et l'expérience du mal subi.

que nous voulons éviter un ulcère ou parce que nous avons besoin d'une guérison intérieure. Bien-entendu, le pardon apporte des bienfaits physiques et psychologiques, la libération de l'offensé, par exemple, qui laisse son rôle de victime pour adopter celui d'acteur[1]. Néanmoins, le pardon n'a pas prioritairement une finalité individualiste. Il chemine toujours vers la restauration de la relation et le brisement des murs qui divisent.

Cependant, la réconciliation requiert la participation volontaire de l'offensé et de l'offenseur. Ce n'est pas une démarche à sens unique. Pour que la réconciliation se fasse, l'offensé doit pardonner, tandis que l'offenseur doit se repentir et s'approprier le pardon donné. L'offensé peut pardonner, mais si l'offenseur ne veut pas reconnaître le mal qu'il a fait, s'il ne veut pas se repentir et faire restitution, dans ce cas, la réconciliation n'est pas possible. De même si l'offenseur reconnaît ses torts et demande pardon à un offensé qui n'est pas prêt à pardonner, la réconciliation n'a pas lieu. La repentance du coupable est une composante de la réconciliation, non pas un acte préalable au pardon[2].

Le pardon est donc un processus par lequel l'offensé s'engage dans un mouvement vers la restauration de la relation. Le pardon n'est pas la réconciliation, mais est un passage qui peut mener à elle. C'est un signe qui montre le désir de réconciliation de l'offensé… une invitation de sa part à la communion.

Le pardon, l'invitation à la communion que nous offrons à l'autre, fait écho au pardon que nous avons reçu de Dieu. Dieu n'a pas rendu offense pour offense. Il n'a pas exercé son jugement selon la loi du talion. Ce n'est pas lui qui a brisé la relation avec les êtres humains, et pourtant c'est lui qui a pris l'initiative de restaurer cette relation. C'est lui qui a fait le premier pas, qui a payé le plus. Son désir de réconciliation et son offre de pardon nous ont incités à la repentance.

Notre esprit de pardon envers l'autre devrait découler de notre prise de conscience de la grandeur du pardon de Dieu à notre égard. C'est la leçon que l'on peut tirer de la parabole de Matthieu 18.23-35. Ce texte

---

1. En s'engageant dans le processus du pardon, l'offensé devient acteur et responsable et ne reste pas seulement victime de l'offense. Plusieurs versets bibliques parlent de l'offensé qui doit prendre l'initiative (Mt 18.15-18 ; Lc 17.3-4) ou donnent des exemples d'une telle attitude (Ac 7.60 ; Lc 23.34). J.P. Pingleton examine l'importance du pardon dans le processus thérapeutique dans « The Role and Function of Forgiveness in the Psychotherapeutic Process » *Journal of Psychology and Theology,* 17, 1989, p. 27-35.

2. Le lecteur remarquera que notre position s'éloigne de celle de J. BUCHHOLD, *Le pardon et l'oubli*, Cléon d'Andran, Excelsis, 1997 et de Jacques POUJOL, *Manuel de relation d'aide,* vol. 2, Empreinte, 1996, p. 102-107.

est un appel à refléter dans nos vies la grâce que Dieu nous a faite. Le maître avait remis à son serviteur une dette que ce dernier ne pouvait lui rembourser, et il attendait de celui-ci un geste de grâce similaire envers ses débiteurs.

Mais le pardon n'est pas simplement une attitude en réponse à un acte de Dieu envers nous dans le passé. Le pardon est aussi orienté vers le monde à venir et l'anticipe.

2. Le pardon comme anticipation eschatologique

Pour mieux comprendre le pardon comme une anticipation eschatologique, il faut le placer dans une perspective plus large et le voir comme partie intégrante des buts rédempteurs de Dieu.

Ce que Dieu fait découle de ce qu'il est, et il est avant tout un Dieu relationnel, un Dieu trinitaire. Un seul Dieu, certes, mais qui existe en trois personnes : Père, Fils et Saint-Esprit. La relation entre ces trois personnes coéternelles et co-égales en ce qui concerne leur nature, est une relation d'amour, de communion, de partage mutuel et d'unité. Nous percevons, par exemple, dans l'Évangile de Jean une profonde unité et une continuité d'action entre le Père, le Fils et le Saint-Esprit[1]. Le Père écoute et glorifie le Fils ; le Fils glorifie et écoute le Père ; le Saint-Esprit écoute et glorifie le Fils et, par lui et avec lui, il glorifie le Père. Chaque personne de la Trinité se place, volontairement et librement, dans une relation d'amour. Chacune s'ouvre intrinsèquement à l'autre. Aucune n'existe pour elle seule mais elles sont toujours en relation l'une avec les autres, liées l'une aux autres.

La Bible est le récit de l'amour de Dieu pour l'homme. Tri-unité relationnelle, il désire intégrer les êtres humains à la vie et aux relations qui existent en son sein, il veut être un avec eux. Ce Dieu n'est pas fermé, replié sur lui-même, il est un Dieu de relation et de réconciliation. Face à une situation de rupture, rupture entre Dieu et les êtres humains, rupture entre les êtres humains eux-mêmes, ce Dieu trine entreprend alors une mission motivée par l'amour qui existe en son sein, une mission dont le but est de réconcilier les êtres humains avec lui (Col 1.20) et les uns avec les autres (Ep 2.16). Dieu initie la démarche vers la réconciliation en nous offrant le pardon à nous, ses ennemis (Rm

1. Par exemple, le verbe « vivifier » (ζῳοποιέω), jamais utilisé dans les Synoptiques, est employé trois fois en Jean, une fois pour décrire ce que fait le Père (5.21a), une fois pour le Fils (5.21b), et une fois pour le Saint-Esprit (6.63).

5.10). L'incarnation, la vie, et la mort de Jésus-Christ parlent avec force du profond désir de Dieu de restaurer des relations brisées[1].

Ainsi le but de Dieu, sa Fin, la Fin, se caractérise par une communauté de relations, entre nous et cette tri-unité et entre nous et les autres. Dieu œuvre dans ce monde en vue de constituer une nouvelle communauté transnationale qui lui rend un culte (Ap 7.9-17). Le pardon, qui vise la réconciliation, anticipe cette Fin de trois façons.

a. Le pardon, signe du règne futur de Dieu

Le pardon humain est tout d'abord une anticipation eschatologique dans le sens où il est un signe qui caractérise les relations de cette nouvelle humanité que Dieu est en train de créer. Quand nous pardonnons aux autres, nous attestons la réalité du royaume de Dieu à venir, lieu de la réalisation complète du pardon donné et reçu. En pardonnant, nous cherchons à vivre maintenant ce que nous vivrons dans le règne de Dieu à venir. En pardonnant, nous sommes un signe vivant et présent d'un royaume de vie et de relation. Nous reflétons le caractère de Dieu[2], l'essence même de sa nature relationnelle. Nous incarnons ses désirs et ses buts pour les êtres humains. Nous sommes une communauté de la fin des temps. En pardonnant, nous témoignons de notre espérance que la rupture, l'exclusion, et l'aliénation ne soient pas éternelles. *Au fond, le pardon est foncièrement un geste d'espérance.*

b. Le pardon, instrument de l'accomplissement de la Fin

Le pardon est aussi une anticipation eschatologique dans le sens où il est un instrument de l'accomplissement du « pas encore ». Le pardon participe à la transformation effective des personnes et permet la construction de la nouvelle communauté eschatologique. Notre pardon, en

---

1. Ce point de vue voit le péché comme essentiellement un manque d'amour et une destruction de vie relationnelle. Même si le péché est une transgression de la loi, la loi est l'expression de l'intention de Dieu concernant les relations avec Dieu lui-même et les uns avec les autres. Quand Jésus parle de deux commandements dont dépendent toute la Loi et les Prophètes : aimer Dieu et aimer notre prochain comme nous-mêmes, nous pouvons voir le péché, la transgression de la loi, comme un manque d'amour. Le pardon est alors vu comme un moyen de restaurer la relation brisée.

2. La structure de Luc 6.36-38 laisse supposer que les quatre éléments des versets 37-38 : ne portez de jugement, ne condamnez pas, mais plutôt acquittez et donnez, détaillent ce que veut dire, au verset 36, être compatissant comme notre Père.

effet, comprend l'espoir de voir mûrir des fruits de repentance et de réconciliation.

Nous pouvons répondre à l'offense reçue et à la relation brisée de plusieurs manières. Nous pouvons répliquer par la violence et la force, rendre le mal par le mal, ce qui perpétue le cycle de la violence et du mal. Nous pouvons aussi réagir par la violence intériorisée, tournée contre nous-même, la dépression, le désespoir, l'auto-protection. Nous pouvons encore répondre par le pardon, seule possibilité de sortir de la spirale de la mort, seul processus propre à restaurer la relation.

Dans ce monde, Dieu œuvre pour rompre le cycle du péché et de la mort et pour faire surgir la vie. En pardonnant, nous devenons des instruments de la volonté divine. Le pardon répond à l'offense et ouvre de nouvelles possibilités de vie et de relations. Hannah Arendt, philosophe juive, écrit : « La rédemption possible de la situation d'irréversibilité – dans laquelle on ne peut défaire ce que l'on a fait… c'est la faculté de pardonner »[1]. C'est seulement en vivant le pardon que des personnes imparfaites peuvent constituer une communauté de la fin des temps. Le pardon offre une re-création où l'avenir n'est pas déterminé par le passé… où le cycle de violence et de mort est rompu. H. Arendt dit encore : « En d'autres termes, le pardon est la seule réaction qui ne se borne pas à ré-agir mais qui agit de façon nouvelle et inattendue, non conditionnée par l'acte qui l'a provoquée et qui par conséquent libère des conséquences de l'acte à la fois celui qui pardonne et celui qui est pardonné »[2].

Le pardon est la seule force qui peut rompre le cercle de mort et de violence qui conduit la victime d'aujourd'hui à devenir l'offenseur de demain. Il faut se rappeler que les gens blessés blessent les autres. Le pardon sort l'offensé du cycle destructeur et fait surgir la vie de la mort. *Au fond, le pardon est foncièrement un geste innovant, vivifiant et aimant.*

c. Le pardon, témoignage du jugement final

Finalement, le pardon peut être compris comme une anticipation eschatologique dans le sens où il atteste que la vengeance et le jugement sont entre les mains de Dieu seul. Comme le pardon, au sens juridique du terme, est une prérogative de Dieu, la vengeance l'est aussi. La Bible

1. Hannah ARENDT, *Condition de l'homme moderne,* Paris, Calmann-Lévy, 1961, rééd. 1983, p. 302.
2. ARENDT, p. 307.

souligne clairement que la vengeance appartient à Dieu. Paul, en Romains 12.19, pour insister sur cette réalité, cite Deutéronome 32.35 : « À moi la vengeance, c'est moi qui rétribuerai, dit le Seigneur ». Pardonner ne veut pas dire que nous abandonnons notre désir de justice ; mais plutôt que nous le laissons entre les mains de Dieu. Que la culpabilité de l'offenseur demeure ou non, c'est l'affaire de Dieu. Dieu seul est capable de juger justement car lui seul connaît le cœur de l'offenseur, ses motivations, les circonstances et les facteurs qui ont contribué à l'offense. Nous pouvons trop facilement nous méprendre sur les intentions ou les motivations de l'offenseur et rendre un jugement injuste.

Le *Testament des Douze Patriarches* contient un texte qui ressemble à celui de Luc 17.3 (Si ton frère vient à t'offenser, reprends-le ; et s'il se repent, pardonne-lui)[1]. En effet, le texte du *Testament de Gad* 6.3 développe aussi cette idée : « Si quelqu'un a péché contre toi, parle-lui calmement... et, s'il avoue et se repent, pardonne-lui ». Ces extraits peuvent nous faire penser que la repentance et la restitution sont des nécessités préalables au pardon. L'offensé devrait refuser le pardon à l'offenseur tant que ce dernier ne s'est pas repenti. Cependant le texte de Gad continue en disant : « Mais s'il est effronté et persévère dans la malice, même dans ce cas pardonne-lui de tout cœur et laisse la vengeance à Dieu » (6.7).

Le fait de laisser le jugement et la vengeance entre les mains de Dieu est-il motivé par le désir de voir s'abattre sur l'offenseur une punition bien plus terrible que celle que nous aurions pu lui infliger nous-mêmes ? Dans les textes de Qumrân, le refus de la vengeance envers les méchants du « dehors » semble être motivé par la réjouissance de l'amplitude de la colère et du jugement imminent de Dieu[2].

Certains lisent ce sens qumrânien dans la recommandation de Paul en Romains 12.20 : « Mais si ton ennemi a faim, donne-lui à manger, s'il a soif, donne-lui à boire, car ce faisant, tu amasseras des charbons ardents sur sa tête ». Quand nous refusons la vengeance nous amassons des charbons ardents sur la tête de l'offenseur, c'est-à-dire, le jugement eschatologique de Dieu. Ainsi nos œuvres bonnes ne feraient qu'augmenter la punition que Dieu infligera au coupable. Si nous ne nous vengeons pas, c'est simplement parce que Dieu va juger.

---

1. Le *Testament des Douze Patriarches* est un écrit juif datant du IIe siècle avant Jésus-Christ.

2. K. STENDAHL, « Hate, Non-retaliation, and Love : 1QS x,17-20 and Rom. 12 :19-21 », *Harvard Theological Review,* 55, 1962, p. 337-355. En parlant de cette attitude qumrânienne, Stendahl écrit : « Pourquoi se promener avec un petit revolver alors qu'une explosion atomique est imminente ? ».

Cependant, la plupart des exégètes modernes voient les charbons ardents non comme le jugement divin mais comme une image de la honte et du remords[1]. Les œuvres bonnes donneraient à l'offenseur une mauvaise conscience qui, on l'espère, le mènera à la repentance. Cette interprétation se justifie principalement par le contexte du verset[2]. Les versets 9-21 du chapitre 12 contiennent en effet des exhortations à rechercher la paix, à aimer, et à faire le bien. Interpréter les charbons ardents comme un désir de jugement eschatologique semble donc incompatible avec ce contexte.

Dans quel but alors devons-nous refuser de rendre le mal pour le mal et faire du bien ? À cause du jugement eschatologique divin ou bien à cause de l'amour de l'ennemi ? La remise du jugement à Dieu exclut-elle la recherche de la restauration de la relation ? Ces questions reflètent, finalement, la tension entre la justice de Dieu, d'une part, et sa miséricorde et sa grâce d'autre part.

Il nous semble que Romains 12.20 renvoie au jugement divin. D'abord l'image des « charbons ardents » est utilisée la plupart du temps dans l'Ancien Testament pour décrire Dieu qui vient sauver son peuple et détruire ses ennemis[3]. Elle ne s'y trouve jamais avec le sens de remords ou de honte de la part de l'offenseur.

Deuxièmement, le parallélisme entre le verset 19 et le verset 20 suggère aussi le jugement divin[4]. Le verset 19 commence par l'exhortation de ce qu'il ne faut pas faire, « Ne vous vengez pas vous-mêmes… mais laissez agir la colère de Dieu ». Celle-ci est suivie par une phrase qui en explique la raison, car (γάρ) la vengeance et le jugement appartiennent à Dieu. Ce verset fait clairement référence au jugement divin. Le verset 20 débute aussi par l'exhortation à pratiquer un certain comportement, à savoir, faire du bien à l'ennemi. La phrase suivante en donne la raison, car (γάρ) « tu amasseras des charbons ardents sur sa tête ». Chaque verset contient une exhortation à un certain comportement, que ce soit passif

1. C.E.B. CRANFIELD, *The Epistles to the Romans,* Édimbourg, T. & T. Clark, 1979, 2 : 649.

2. Une deuxième raison est une interprétation rabbinique qui lit la fin de la phrase de Proverbes 25.22, « il [Dieu] fera qu'il [l'adversaire] soit en paix avec toi » ou « il le délivrera à toi ». La troisième raison voit derrière cette expression de « charbons ardents sur la tête » un rite égyptien de pénitence où l'offenseur repentant portait sur sa tête un plateau de charbons ardents.

3. 2 Samuel 22.9,13 ; Psaumes 18.8,12,13 ; 120.4 ; 140.10 ; Ézéchiel 10.2 ; 24.11.

4. Gordon M. ZERBE, *Non-Retaliation in Early Jewish and New Testament Texts. Ethical Themes in Social Contexts,* JSPSS, Sheffield, JSOT Press, 1993, p. 249-250.

ou actif, suivie par la raison de cette exhortation. Dans ce cas, amasser les charbons ardents est parallèle à la vengeance et à la rétribution par Dieu.

Mais ces deux versets ne suggèrent pas que la motivation de la non vengeance est le désir d'augmenter la punition des ennemis. Leur contexte, Romains 12.9 à 13.10, est bien celui d'aimer, de bénir, de faire du bien et non du mal à l'autre. Même si à la Fin Dieu jugera, la priorité de Dieu restera toujours celle de pardonner et de restaurer la relation. Dieu ne désire pas la mort du méchant (Ez 18.23 ; 33.11 ; 1 Tm 2.4 ; 2 P 3.9). Notre responsabilité est d'espérer, de prier, et d'œuvrer pour que toute personne ait la vie, pour que chacun soit intégré dans la communauté divine, ainsi que dans la nouvelle communauté du peuple de Dieu. Nous travaillons à la réconciliation de toutes choses, à une réconciliation qui est à l'image de notre Dieu relationnel et intégrateur… tout en laissant la réalisation finale de la justice entre les mains de Dieu.

Le fait de refuser de céder à notre instinct naturel de vengeance et, au contraire, de pratiquer des œuvres bonnes envers nos ennemis, devient un témoignage de la bonté et de la grâce de Dieu qui suspend son jugement, ne voulant qu'aucun périsse. Ces œuvres bonnes sont un appel à la repentance, mais en même temps elles témoignent de notre assurance du jugement divin à venir. Cette confiance dans un Dieu juste nous donne la force de continuer à faire le bien et de nous en remettre à cette justice. *Au fond, le pardon, qui laisse l'offenseur entre les mains de Dieu, est foncièrement un acte de foi.*

Conclusion

Dieu appelle donc ses enfants à incarner son désir de vie et de restauration des relations brisées. Il demande à l'offensé d'emprunter le chemin du pardon qui peut mener à la réconciliation. En mettant la priorité sur le pardon et la réconciliation, nous sommes signes vivants du royaume qui vient, instruments de ce royaume en devenir sur cette terre, et témoins d'un avenir où le destin de l'offenseur ne nous appartient pas, mais se trouve entre les mains de Dieu, le seul Juste. En pardonnant, nous vivons dès à présent les valeurs éternelles d'espérance, d'amour et de foi.

Linda OYER
Professeur de Nouveau Testament
au Centre mennonite d'études et de rencontre

SECTION III
ESCHATOLOGIE ET VIE QUOTIDIENNE DANS LA SOCIÉTÉ

La troisième section de notre livre nous amène à la vie quotidienne dans la société, dans ce « vivre-ensemble » concret des hommes et les questions fondamentales qu'il produit. Pour ceux qui seraient tentés de croire que le discours eschatologique est un langage fermé et ésotérique, Frédéric de Coninck démontre que toute vision de société implique une vision de la fin. Nous n'avons pas forcément l'habitude de penser dans ces termes, mais le travail de comparaison social et biblique effectué dans ce chapitre nous montre que l'eschatologie biblique n'était pas loin des préoccupations socio-politiques de ses époques et qu'il est possible, voire nécessaire de nous rendre compte de la pertinence et de la portée de nos convictions eschatologiques dans la société où nous vivons. Dans le contexte européen et « déchristianisé », il est plus important que jamais d'apprendre le sens premier du vocabulaire théologique pour mieux le traduire et le vivre dans la vie quotidienne.

John Yoder, dans un chapitre qui dans sa première version remonte aux année 1950, pose la question classique et difficile du rôle de l'État vu d'un point de vue théologique. Par l'ajout de certaines notes, nous avons cherché à rendre plus compréhensible le premier contexte de ce chapitre. Loin de prôner la séparation ou le retrait des chrétiens et de l'Église, Yoder montre à quel point l'eschatologie pousse à un engagement concret et pratique dans les questions brûlantes de notre monde. Écrit pendant les premières années de la guerre froide, ce chapitre retrouve une étrange actualité dans un monde où les questions de l'ex-Yougoslavie, de l'Irak, du Congo, du Rwanda etc. interpellent de façon quotidienne les consciences de ceux qui se rendent compte de ce qui se passe devant leurs yeux. Peut-on suivre l'agneau immolé et prôner la non-violence face à de telles situations ? L'Église a-t-elle un mot à dire, un exemple à donner à ceux qui gouvernent le monde ? Voici un effort sérieux d'actualiser la théologie anabaptiste et de montrer l'importance cruciale de l'eschatologie dans toute éthique et toute politique.

De l'eschatologie d'hier à celle d'aujourd'hui. Réactualiser l'originalité de l'eschatologie biblique

L'eschatologie concerne notre vie quotidienne aujourd'hui encore. Au début du siècle Albert Schweitzer pensait que le langage eschatologique, tel que pratiqué à l'époque biblique, était devenu incompréhensible pour l'homme moderne. Schweitzer pensait qu'il fallait se souvenir de la volonté et de l'enthousiasme de Jésus, indépendamment d'une croyance dans le surnaturel. C'est ce qu'il retenait de l'eschatologie :

> « L'œuvre spirituelle de Jésus a consisté à s'emparer de l'eschatologie tardive du judaïsme et à lui imprimer la marque de sa moralité, simple et radicale. Ainsi a-t-il exprimé, avec les moyens idéologiques de son époque, l'espérance et la volonté de réaliser un monde moralement meilleur. (...) De fait il ne peut être pour nous un maître de savoir, mais un maître de volonté, oui. (...) Pour Jésus, la fin et l'accomplissement du monde devaient se produire d'une façon surnaturelle ; pour nous un tel accomplissement n'est vraiment concevable que comme le résultat d'un long travail moral »[1].

Mais, pendant le même temps, une eschatologie laïque, partiellement empruntée à l'eschatologie juive, gagnait du terrain : le marxisme. On peut même dire qu'une grande partie de l'histoire du XXe siècle a

1. Albert SCHWEITZER, *Histoire des recherches sur la vie de Jésus*, « Considération finale », cité dans le recueil de textes : Albert SCHWEITZER, *Humanisme et mystique*, textes choisis et présentés par Jean-Paul Sorg, Paris, Albin Michel, 1995, p. 159-164.

tourné autour de cette eschatologie : des espoirs qu'elle a fait naître et des ravages qu'elle a provoqués. Or cette eschatologie ne parlait pas tellement d'un long travail moral, mais plutôt du surgissement, en fait plus ou moins miraculeux, d'un monde réconcilié.

En fait, quand on passe l'histoire en revue, il est peu d'époques, dans les sociétés marquées par le christianisme ou par le judaïsme, à partir de l'exil, qui aient échappé à un questionnement eschatologique. On peut tracer des hauts et des bas, mais il n'y a jamais vraiment eu d'extinction du thème.

Aujourd'hui encore, donc, nous sommes environnés d'eschatologies et il importe de les décrypter si nous voulons savoir quoi leur dire. On s'aperçoit alors, en creusant un peu, que le discours eschatologique constitue un genre composite, plus composite, à vrai dire, qu'on ne l'imagine au premier abord. Notre propos sera donc de repérer les différents éléments du discours eschatologique pour les traiter un par un. Pour chaque élément nous verrons comment l'eschatologie biblique s'est située par rapport aux eschatologies portées par les époques auxquelles elle s'adressait. Ensuite nous nous tournerons vers aujourd'hui pour voir ce qu'il en est de ces éléments dans le discours actuel et comment nous pouvons être fidèles à l'eschatologie biblique.

La thèse implicite que nous défendons ainsi est que l'eschatologie est un genre et que, ainsi qu'ils l'ont fait avec tous les genres, les auteurs bibliques l'ont utilisé de manière critique. La question n'est donc pas de savoir si nous devons nous situer en dedans ou en dehors de l'eschatologie[1], mais de savoir ce que nous disons dans le cadre de ce genre. Nous n'avons donc pas à bénir toutes les eschatologies. Nous n'avons pas non plus à refuser le questionnement eschatologique. Il nous faut, comme l'ont fait nos devanciers, repérer les éléments eschatologiques aujourd'hui et nous positionner de manière critique face à eux. C'est ainsi que nous parviendrons à connecter eschatologie et vie quotidienne.

1. Eschatologie et délivrance

Le premier élément, la première couche dans le genre eschatologique, est incontestablement son ancrage dans l'attente d'une délivrance.

---

1. À moins de faire une hypothèse du style de celle d'Albert Schweitzer, à savoir que ce genre n'aurait plus de pertinence aujourd'hui. Mais nous aurons l'occasion de donner de nombreux contre-exemples qui contredisent cette hypothèse.

C'est ce qui saute aux yeux au premier abord et cela a, d'ailleurs, fait l'objet de nombreuses études historiques, sociologiques ou ethnographiques dans une large gamme d'époques et de contrées.

Que voulons-nous dire par là ? Le discours apocalyptique ou eschatologique fait appel, d'une part, à un arrière-monde où des événements se déroulent en parallèle des événements visibles et, d'autre part, à un monde futur où les règles de la vie sociale seront différentes de ce qu'elles sont ici et maintenant. Ce discours est, en fait, un discours de compensation (ce qui ne veut pas dire qu'il soit faux) : aujourd'hui vous souffrez, disent les apocalypses, mais, dans un arrière-monde, votre Dieu garde le pouvoir et vous en aurez la preuve plus tard : à la fin des temps, c'est-à-dire bientôt. C'est donc un discours mis en avant par des personnes qui espèrent que les choses vont changer et qu'elles vont arrêter de souffrir.

L'eschatologie est donc un discours de compensation. C'est également un discours de protestation : les puissants d'aujourd'hui ont tort de pavoiser et de se dire les meilleurs (au prétexte qu'ils sont les plus forts) ; nous pouvons d'ores et déjà dénoncer leurs crimes comme le fera Dieu à la fin des temps. Au reste un discours apocalyptique ne se construira que là où le pouvoir en place est atteint dans sa légitimité. Quand la domination règne sans faille aucune protestation structurée n'émerge vraiment.

Cette configuration : un discours protestataire émis par un groupe dominé face à un groupe dominant atteint dans sa légitimité, traverse l'histoire avec une étonnante robustesse.

La grande diversité qui a marqué la poussière de groupes qui, à travers l'histoire, se sont réclamés de l'Apocalypse, n'empêche pas, en effet, que se développe une sensation de grande familiarité entre les uns et les autres. Henri Desroche évoluant au milieu de paysans brésiliens, en plein cœur du XXe siècle, retrouve, ainsi, l'ambiance de la révolution anglaise du XVIIe : « Même appel à l'Apocalypse, même allergie aux ministres des églises instituées, même nostalgie d'une communauté agraire identifiée à un royaume de Dieu sur Terre »[1]. La justice de Dieu vient fréquemment s'opposer à la justice des hommes : dans l'Angleterre du XVIIe on propose « une égalité dans les biens et les terres selon la volonté de Dieu et de la nature, selon les désirs ardents de la justice et

1. Henri DESROCHE, *Les Religions de contrebande, Essais sur les phénomènes religieux en époques critiques*, Mame, 1974, p. 30-31.

de la raison »[1]. La légitimité de la parole de Dieu vient contester, tout comme dans le judaïsme intertestamentaire, la légitimité du prince.

Norman Cohn, cherchant à rendre compte des mouvements de révolte populaire en Europe, entre le XIe et le XVIe siècle[2], souligne l'importance de ruptures sociales déjà à l'œuvre pour donner l'énergie décisive aux révoltés : ceux-ci y voient les prémisses d'un nouveau monde possible tout en subissant encore les ravages du monde actuel. Ainsi, dit-il, les pauvres vivant en ville sont au cœur du bouillonnement de la résurgence urbaine à partir du XIe siècle, mais ils se trouvent exclus des bénéfices du système. Ils n'ont « pas de coutumes séculaires pour leur défense »[3] et ne peuvent, donc, invoquer un droit légitime qui les appuierait, ils ne sont pas non plus « soutenus par un réseau de relations sociales comparable à celui dont disposait le monde paysan »[4]. Ils sont à cheval entre deux systèmes ne tirant les avantages d'aucun des deux. Souvent cadets de familles agricoles ils sont forcés à l'exil vers la ville, du fait que les terres à cultiver sont accaparées par leurs aînés.

La situation coloniale est, de ce point de vue, typique : deux systèmes sociaux coexistent, comme en Judée, où les liens traditionnels et la société romaine entrent en conflit. La contestation de Jésus sera, de ce fait, rendue plus facile par cette coexistence : l'ouverture est préparée.

Les descriptions de Bryan Wilson sur les mouvements de révolte à orientation religieuse dans les situations coloniales modernes reprennent tout à fait les mêmes schèmes :

> « Il y a de nombreuses preuves du fait que les Africains eux-mêmes considèrent qu'il y a eu une croissance de l'activité des sorciers dans les dernières décennies. (...) L'incertitude et l'insécurité générées par la mutation rapide des conditions sociales et culturelles apparaissent comme directement reliées à la crainte croissante de la sorcellerie, et en fait, à la demande d'aide surnaturelle pour parvenir à retrouver la sécurité et la stabilité. Les facteurs qui produisent ces tensions sont multiples : la rupture des liens familiaux traditionnels, la perte d'autorité des chefs, la difficulté à maintenir les structures traditionnelles d'échange quand l'économie globale se transforme, et, à cause des nouvelles structures gouvernementales de protection

---

1. Citation de Walwyn un homme de cette époque, dans Henri DESROCHE, *op. cit.*, p. 75.
2. Norman COHN, *Les fanatiques de l'Apocalypse*, trad. franç., Payot, 1983.
3. *Op. cit.*, p. 59.
4. *Id.*

sociale, la faillite des instances qui, jusqu'alors, assuraient la conformité et le contrôle social »[1].

Là où les systèmes de limitation du pouvoir fonctionnaient à peu près, la colonisation est venue concentrer le pouvoir sur quelques têtes, engendrant une forte crise de légitimité politique, qui se marque, alors, par un grand nombre d'accusations de sorcellerie. « Les hommes en situation d'autorité, et particulièrement ceux qui ont abusé de leurs positions de pouvoir, sont ceux qui sont généralement désignés comme sorciers »[2]. Ces accusations servent ensuite d'aliment pour structurer des mouvements de révolte millénaristes.

Donc, on espère et on attend un autre monde quand on n'est pas satisfait du monde présent. À l'inverse, les groupes sociaux favorisés à une époque donnée sont peu ouverts à la vision d'un autre monde. À l'époque de Jésus déjà, le groupe des sadducéens, qui rassemblait les notables juifs qui collaboraient avec les Romains, refusaient de croire à la résurrection. L'Évangile selon Luc évoque directement ce thème en disant que le problème des riches est qu'ils possèdent, d'ores et déjà, leur consolation (Lc 6.24).

Cela nous donne une première voie d'entrée dans l'actualité. Une religion qui parle d'eschatologie est une religion du salut : elle promet une délivrance de quelque manière. Si, donc, nous prétendons parler aujourd'hui d'eschatologie nous devons interroger le malaise du monde actuel : quel est-il ? Notre message propose-t-il une délivrance qui fait sens par rapport à ce malaise ?

La théologie libérale, à partir du XIXe, a peu à peu renoncé à parler d'un arrière-monde. Devant les progrès de la physique, il lui semblait de plus en plus difficile de parler d'une vision « supranaturaliste » du monde comprenant un deuxième lieu, en dehors du monde physique, où se dérouleraient des événements échappant aux lois de la nature. Ce faisant, elle a suivi d'assez près la vision du monde des couches cultivées et de la bourgeoisie intellectuelle de son époque. Ces groupes sociaux dominants ne souhaitaient pas voir contestée leur maîtrise croissante du monde physique et leur maîtrise du monde social. Pendant ce temps, on l'a dit, la souffrance des ouvriers était écoutée par les mouvements syndicaux et révolutionnaires qui croyaient à l'eschatologie marxiste. Dans

---

1. Bryan R. WILSON, *Magic and the* Millenium, *A Sociological Study of Religious Movements of Protest among Tribal and Third-World Peoples*, Londres, Heinemann, 1973, p. 78-79, notre traduction.
2. Id., p. 88, notre traduction.

cette eschatologie, le monde actuel était traversé par des rapports de production opprimants qui allaient se retourner un jour. Ce retournement était invisible pour l'instant, mais il se produirait fatalement et ceux qui savaient voir pouvaient déjà en apercevoir les prémisses à l'œuvre dans l'histoire.

Un évangile qui, aujourd'hui, refuserait de parler des souffrances endurées au travail, de la déréliction que constitue le chômage, de la solitude de la vie moderne, des ruptures familiales, des guerres, de la famine, du racisme et du nationalisme, serait un évangile qui manquerait sa cible. Au XXe siècle, la théologie de la Libération, qui a décidé de se tourner délibérément vers les pauvres, a naturellement réactivé les thèmes eschatologiques. Ce qu'elle en a fait est matière à débat et il est, au reste, difficile d'en parler en général. Cette école théologique est, en effet, traversée par des courants divers. Elle a plus ou moins concédé au marxisme suivant les auteurs. Quoi qu'il en soit, on remarque, une fois de plus, que les thèmes eschatologiques sont mobilisés quand on s'intéresse au sort des plus démunis.

Mais il importe de dire, d'un autre côté, que, dans le champ des discours qui abordent les thèmes de la souffrance sociale, tout n'est pas bon à prendre. Le discours du Front national, par exemple, s'ancre complètement dans ce type de souffrance. Les groupes qui votent pour le Front national ne sont pas du tout constitués de cadres supérieurs (qui sont plutôt à l'aise dans la société actuelle). Ce sont les ouvriers, les artisans et les commerçants qui votent pour le Front national.

Le vote Front national, à ses débuts, s'est, en effet, rattaché à ce qu'on appelle classiquement le vote poujadiste : une forte représentation des artisans et commerçants (et chefs d'entreprise en général), accompagnée d'emprunts à l'électorat de droite (les reports au deuxième tour des électeurs du FN vont, à cette époque, massivement sur les candidats de droite). Aux législatives de 1986, par exemple, le FN recueille 10 % des suffrages. La seule catégorie qui sort nettement de la moyenne est alors la catégorie « commerçants et artisans » où le FN recueille 16 % des suffrages.

Mais, à partir de 1988, les choses changent et on voit apparaître une nouvelle configuration qui atteint son paroxysme aux élections de 1995 et 1997. Aux élections législatives de 1997 le FN recueille 15 % des voix. Deux groupes sociaux sortent alors du lot : les commerçants et artisans, toujours, qui votent à 26 % pour le FN et les ouvriers qui votent de même à 24 %. Les reports sur les candidats de droite commencent à se passer moins bien. Par ailleurs, les hommes votent nettement plus que les femmes pour le FN (18 % contre 12 %). On interprète alors ce nouveau vote comme un signe de l'industrie en déclin. Cela est confirmé par le fait que les personnes ayant un diplôme d'enseignement général votent moins pour le FN que celles qui ont un diplôme technique ou le certificat d'études ou aucun diplôme. Nostalgie, donc, de l'industrie en déclin, mais nostalgie, aussi, du monde dominé par les hommes, du monde du patriarcat qui s'est effacé à partir de la fin des années 60. Quand on connecte, d'ailleurs, le vote FN aux opinions sur la faible présence des femmes parmi les députés, on s'aperçoit que les femmes qui votent FN sont bien moins nombreuses que les autres à souhaiter voir plus de femmes députés[1].

Les dernières élections européennes ont mis sur le devant de la scène deux autres types de votes nostalgiques : le vote nationaliste (représenté par le RPF de Charles Pasqua et Philippe de Villiers ; on a usé de l'euphémisme de « souverainiste » à leur propos, pour éviter de parler de nationalisme) qui n'accepte pas l'élargissement des frontières et des espaces, et le vote des chasseurs justement appelé : « nature, chasse, pêche *et tradition* ». Ces votes présentent des similitudes sociologiques avec le vote Front national. Les hommes y sont légèrement plus nombreux que les femmes et les artisans et commerçants y dominent. Mais les ouvriers sont plutôt bien représentés, également, chez les chasseurs, même s'ils restent davantage fixés sur les deux listes d'extrême droite : FN et MN (Mouvement national). Le groupe social qui vote le moins pour ces listes à orientation nostalgique est, en revanche, le groupe des cadres supérieurs (et professions libérales) qui est assurément privilégié dans les évolutions en cours. Ce sont les groupes en déclin qui se replient dans le rêve d'un passé à tout jamais perdu, sans avoir la vision d'une appartenance de rechange disponible.

Pour résumer, si l'on rassemble les quatre listes, Nature Chasse Pêche et Tradition, RPF, FN et MN, on arrive aux scores suivants : parmi les artisans et commerçants, 58 % votent pour une de ces listes ; parmi les ouvriers 42 % ; parmi les cadres supérieurs 18 %. On le voit, les écarts sont considérables[2].

C'est le monde d'autrefois, où toute la société se calquait sur le modèle de la famille soumise à l'autorité du père, qui s'efface. Les étrangers portent alors la tare cardinale de ne pas être de la famille. Ils

---

1. Ces chiffres ainsi que les hypothèses que nous présentons proviennent de : Nonna MAYER, « Du vote lepéniste au vote frontiste », *Revue française de science politique*, 1997, n°s 3-4.

2. Source : enquête IPSOS effectuée pour le journal *Le Point* le jour de l'élection. Le nombre de votants interrogés (plus de 3000, ainsi que plus de 1000 abstentionnistes) donne une bonne fiabilité à ces résultats.

cristallisent ainsi cette menace de voir se développer des formes sociales basées sur la règle abstraite et sur l'anonymat.

Ce mouvement de pensée est porteur d'une eschatologie forte : l'espoir de la délivrance à travers l'élimination de l'autre et du différent. L'idée qui prévaut est qu'une fois qu'on aura sorti les étrangers de France tout ira bien. On voit combien cela est proche de l'antisémitisme des nazis. Dans les deux cas on désigne un bouc émissaire qu'il s'agit de faire disparaître afin de retrouver l'harmonie. D'un certain point de vue le marxisme, en tout cas dans ses dérives russe, chinoise ou cambodgienne, raisonnait de la même manière : il cherchait l'apaisement des conflits par suppression de l'autre. On commence par éliminer ceux qui détenaient le pouvoir. Ensuite on s'attaque aux bourgeois qu'on emprisonne ou qu'on massacre eux aussi. Et puis, finalement, on soupçonne plus ou moins tout le monde et c'est la terreur.

Ces dérives et ces horreurs conduisent à souligner que la délivrance dont parle la Bible n'est pas n'importe quoi. Tout écho de la souffrance du temps n'est pas, en soi, fidèle au message biblique. Les considérations sur la délivrance s'ancrent, pour le peuple d'Israël, dans une histoire qui remonte au moins à l'Exode. Ce peuple a fait mémoire pendant des générations de la délivrance d'Égypte et, régulièrement, il a relu, époque après époque, les délivrances qu'il attendait, à la lumière de l'Exode. Jusque dans l'Apocalypse de Jean on retrouve des citations de l'Exode. Par exemple, à plusieurs reprises, dans ce livre, sont évoquées les plaies avec la leçon majeure qui les accompagne : malgré toutes ces calamités les hommes persistent dans leur péché et ne se repentent pas. Dans les chapitres 8 et 9 de l'Apocalypse, on retrouve ainsi : la grêle (8.7), l'eau changée en sang (8.8), l'obscurcissement du soleil (8.12 et 9.2), les sauterelles (9.3), qui proviennent de l'épisode des plaies d'Égypte. Ensuite, malgré tous ces fléaux, les hommes ne se repentent toujours pas (9.20-21) tout comme Pharaon continuait à endurcir régulièrement son cœur. Au chapitre 16 on retrouve encore : un ulcère (16.2), l'eau changée en sang (v. 3 et 4), les ténèbres (v. 10), les grenouilles (v. 13), la grêle (v. 21), qui sont de nouvelles citations de l'épisode des plaies. Le résultat est le même : les hommes ne se repentent toujours pas (v. 9 et 11).

L'Exode présente deux particularités qu'il faut relever : d'abord c'est la délivrance d'un peuple et ensuite c'est une délivrance exigeante. On demande aux anciens esclaves de devenir acteurs et de vivre entre eux des relations renouvelées. De ce point de vue, l'apocalyptique juive dans son ensemble se distingue des religions grecques à mystère qui fleurissaient à la même époque. Les religions grecques proposaient une extase individuelle et immédiate : une sorte de *shoot* mystico-intellectuel, individualiste et peu exigeant.

Dans les textes de Qumrân, à l'inverse, c'est la communauté des fils de lumière qui doit être délivrée. C'est ce que nous raconte le *Règlement de la Guerre*. La communauté doit, en même temps, vivre selon une loi stricte. Une loi tellement stricte, d'ailleurs, qu'elle prévoyait le bannissement, temporaire ou définitif, en cas de faute avérée :

> « S'il se trouve parmi eux un homme qui mente en matière de biens, et qui le fasse sciemment, on le séparera du milieu de la Purification des Nombreux un an, et il sera puni quant au quart de sa nourriture » (*Règle de la Communauté*, VI, 24-25) ; si quelqu'un « a blasphémé (...) on le séparera, et il ne reviendra plus vers le Conseil de la Communauté » (*Id.*, VII, 1-2)[1].

Dans l'Apocalypse de Jean c'est l'Église qui sera délivrée et elle doit suivre son guide qui est l'agneau immolé. Il y a donc une exigence : celle de choisir son camp, de vivre dès à présent, individuellement et collectivement, les valeurs du Royaume de Dieu et de partager la patience de Dieu à l'égard du pécheur et du méchant. Il faut donc s'engager et accepter d'attendre la réalisation finale. Il y avait, ainsi, quelque chose de décevant dans l'apocalyptique juive, comparée aux religions à mystères, et les chrétiens ont encore accentué ce caractère décevant par rapport au *main stream* de l'apocalyptique juive : leur messie immolé est un scandale pour les attentes messianiques des juifs. C'est un messie qui invite à marcher à sa suite mais sans donner la victoire militaire immédiate sur les ennemis qu'attendaient les esséniens, les zélotes et sans doute la plupart des juifs de l'époque.

Contre les zélotes et contre les eschatologies contemporaines d'élimination de l'autre dont nous avons parlé, l'eschatologie du Nouveau Testament appelle à surmonter les conflits, en vivant ensemble, en communauté, avec des personnes qui, auparavant, étaient nos ennemis. L'incroyant, le méchant ou le persécuteur sont appelés à se convertir. Les chrétiens doivent prier pour eux. Par ailleurs, l'Église est représentée comme les prémisses d'une nouvelle humanité qui fait vivre ensemble les Juifs et les Grecs qui s'opposaient dans le monde de l'époque. Ce thème traverse le livre des Actes des Apôtres qui montre l'incorporation

1. Nous citons ces textes d'après André DUPONT-SOMMER et Marc PHILONENKO dir., *La Bible, Écrits intertestamentaires*, Paris, Gallimard, Bibliothèque de la Pléiade, 1987, p. 28.

progressive des non-Juifs dans l'Église. Il est repris aussi, explicitement et longuement, dans l'Épître aux Romains et dans l'Épître aux Éphésiens. Il y a donc, dans le christianisme primitif, un appel au pardon qui concerne non pas seulement les fautes de tel ou tel individu, mais aussi les conflits répétitifs et rituels qui opposent des groupes sociaux, des peuples ou des groupes religieux. Il y a un appel à transformer, dans l'Église, des relations structurellement hostiles en relations de collaboration.

L'eschatologie chrétienne est donc une eschatologie de réconciliation au nom du fait que Dieu s'est réconcilié avec nous. Ce n'est pas une eschatologie d'hostilité exacerbée. Cette eschatologie de réconciliation commande de construire, dès aujourd'hui, dans l'Église, cette humanité unie et bien coordonnée, où l'on peut vivre les différences tout en construisant un corps unique. C'est la thèse d'ensemble de l'Épître aux Éphésiens qui culmine dans la description de l'organisation des dons :

> « Il y a un seul Corps et un seul Esprit (...) ; à chacun de nous, cependant, la grâce a été donnée selon la mesure du don du Christ. (...) Et c'est lui qui a donné certains comme apôtres, d'autres comme prophètes, d'autres encore comme évangélistes, d'autres enfin comme pasteurs et chargés de l'enseignement, afin de mettre les saints en état d'accomplir le ministère pour bâtir le corps du Christ. (...) Et c'est de lui que le corps tout entier coordonné et bien uni grâce à toutes les articulations qui le desservent, selon une activité répartie à la mesure de chacun, réalise sa propre croissance pour se construire lui-même dans l'amour » (Ep 4.4, 7, 11-12, 16).

Les différences subsistent et ne s'annulent pas. L'autre n'est ni détruit, ni dominé par simple vengeance.

L'eschatologie chrétienne va donc construire de fortes tensions : promesse d'une délivrance d'un côté, exigence et attente de l'autre ; annonce d'une victoire d'ores et déjà remportée, et souffrance dans le temps présent ; consolation des individus et appel à vivre en communauté. On retrouve cette tension dans les béatitudes qui tout à la fois consolent ceux qui ont le cœur brisé et s'élèvent à un haut degré d'exigence.

Voilà pour le premier élément, la première couche du discours eschatologique. Cela nous livre déjà des premières pistes pour ancrer ce discours dans la vie quotidienne d'aujourd'hui. Nous devons, tout à la fois, nous faire l'écho des souffrances du temps et proposer une vie individuelle et communautaire qui permette à ceux qui ont le cœur brisé de devenir acteurs d'une vie collective où ils apprennent à respecter l'autre et même leur ennemi.

Mais il y a deux autres niveaux dans ce discours qui eux n'apparaissent pas forcément à première lecture. Le discours eschatologique paraît, en effet, d'une part, complètement tourné vers l'avenir et, d'autre part, ancré dans l'irrationnel. Cela renvoie à l'attente d'un autre monde et à l'évocation d'un arrière-monde dont nous venons de parler. Mais, par ailleurs, on s'aperçoit que ce discours est aussi ancré dans un passé et qu'il comprend une certaine rationalisation. Ce sont ces deux aspects que nous voudrions examiner à présent car ils nous paraissent, eux aussi, riches de possibilités d'actualisation.

2. Une relecture du passé non-nostalgique qui nous renseigne sur la manière d'actualiser

Nous avons commencé à le dire en parlant de l'Exode : avant de parler de l'avenir, les textes eschatologiques se livrent à de longues relectures du passé. L'Apocalypse de Jean est sans doute, d'ailleurs, le livre du Nouveau Testament qui cite le plus l'Ancien Testament. Ceci doit nous rendre attentifs à la vision du temps contenue dans les apocalypses juives ou chrétiennes. De fait, à côté de l'attente d'une délivrance à venir qui fait référence à un temps linéaire, le temps cyclique n'en est pas absent.

Dans l'Ancien Testament en général, déjà, le temps cyclique et le temps linéaire sont souvent entremêlés. Au début du Psaume 90 on lit ainsi : « Seigneur, tu as été un refuge pour nous dans une génération, puis une génération (...) depuis toujours, jusqu'à toujours tu es Dieu » (Ps 90.1-2). Le substantif *dôr* (traduit ici par génération) signifie : la période, la génération, ou le cercle. Les générations se succèdent sur un mode cyclique : elles s'élèvent les unes après les autres. Dieu confirme sa présence au sein de chacune d'entre elles. Il affirme sa permanence. Le mot *ôlam* (traduit ici par toujours et qui peut signifier l'éternité ou l'univers entier) indique, de fait, cette permanence ou, pour le moins, la longue durée antérieure, aussi bien que postérieure. Dans cette permanence le Psaume oppose le « depuis » au « jusqu'à ». À côté de, ou, mieux, tressé avec le temps cyclique se dessine un projet qui trace un avant et un après.

Puisqu'on parle du souvenir de l'Exode il est intéressant de voir que cette délivrance singulière faisait l'objet d'un souvenir régulier et cyclique, année après année. Ainsi le révèlent les paroles d'institution qui introduisent le récit de la délivrance finale d'Égypte : « Cette lune-ci sera pour vous le commencement des lunes, elle sera pour vous le début des lunes de l'année » (Ex 12.2). Ce verset entrecroise, de fait, une pluralité de figures temporelles. On y trouve, en effet, d'abord les mots *rôsh* : tête, et *rôshon* : premier, qui nous rappellent le commencement radical : *reshit* dans la Genèse. Dieu marque cet instant où Israël va être constitué en tant que peuple comme une nouvelle création. Aussi vrai qu'il a appelé les choses du néant à l'existence, il appelle cette masse d'esclaves à la liberté. De ceux qui n'étaient pas un peuple il va faire un peuple. Cet acte, ensuite, rentrera dans la mémoire régulière des lunes et des années. Mais le mot même de lune, ou de mois : *hodesh* est plurisémique. Sa racine verbale d'origine signifie : renouveler, réparer, d'où, ensuite, la nouvelle lune, ou le mois. Jusqu'à un certain point la nouveauté de l'action de Dieu rejoint la résurgence périodique de la Lune, et le cycle annuel du Soleil, de même que l'acte rédempteur de la Pâque, s'appuie sur l'immémorial de la création. La permanence du monde créé, le cycle prévisible de la Lune et du Soleil et la libération singulière se donnent la main. La nouveauté radicale prend appui sur la nouveauté périodique, elle la résume et la dépasse, elle ne la contredit pas. La mémoire annuelle de cet événement constituera un souvenir répété de la singularité temporelle.

C'est ainsi que les apocalypses juives partaient souvent de l'histoire de tel ou tel patriarche pour l'actualiser et la relire en fonction de l'époque actuelle.

Dans l'Apocalypse de Jean on peut relever, déjà, outre l'abondance des citations de l'Ancien Testament, la célébration de la création au chapitre 4 et la continuité marquée entre l'Église et le peuple d'Israël à travers le symbolisme des douze tribus (chap. 7, voir également les 24 vieillards du chap. 4). Par ailleurs l'impression d'un temps cyclique, avec des événements qui se répètent, frappe inévitablement quand on lit l'œuvre de bout en bout. Des thèmes reviennent, à peine modifiés, et les images renvoient les unes aux autres d'un bout à l'autre du texte.

Cette répétition n'est pas gratuite : elle autorise l'Apocalypse à se poser comme vision générale de l'histoire. La figure de la répétition montre, en effet, les événements comme obéissant à des schèmes constants. Cela dit, cette histoire typologique est ponctuée par deux moments centraux, mais qui appartiennent eux aussi au passé quand Jean écrit : la croix et la résurrection.

En lisant ainsi, et de manière cursive, les livres d'Ézéchiel et de Daniel et les passages eschatologiques du livre d'Ésaïe, puis les apocalypses juives et enfin l'Apocalypse de Jean, on s'aperçoit que, d'un texte à l'autre, les symboles employés sont repris de génération en génération par analogie en s'amplifiant au fur et à mesure. On est souvent dans la réinterprétation de la réinterprétation de la réinterprétation. Le livre d'Ézéchiel lui-même reprend de nombreuses images des auteurs bibliques qui l'ont précédé et ses images seront reprises à leur tour par des textes ultérieurs qui eux-mêmes, etc.

Mais toutes ces évocations du passé, il faut le souligner, ne conduisent jamais à la nostalgie. On relit le passé pour marquer des événements forts et fondateurs qui ont permis au peuple d'aller de l'avant. On se souvient du départ d'Égypte qui était une marche en avant. On se souvient de la délivrance en exil, de la présence de Dieu dans une situation délicate. On se souvient de la croix et de la résurrection. Mais tous ces événements, rassemblés et mis en perspective, sont un encouragement à aller de l'avant.

Cela doit interroger l'eschatologie implicite du type « café du commerce » qui fonctionne sur le type : « tout se perd », « ce n'est plus comme avant », etc. Cette eschatologie du retour en arrière dans une harmonie passée est souvent mobilisée dans les cercles évangéliques. Elle parle du bon temps d'autrefois plus que de la rédemption future. Le thème de la perte y est fortement présent. On décrit la modernité comme une phase post-chrétienne où les « valeurs » se sont perdues.

En fait, dans l'eschatologie chrétienne, il y a le déjà et le pas encore, mais pas le « plus maintenant ».

En revanche, il est vrai qu'on peut retrouver dans le présent des situations typiques qui s'apparentent à des situations passées. De ce point de vue, on rejoint la démarche des textes eschatologiques bibliques qui relisent les tensions du passé pour annoncer des délivrances aujourd'hui. Leur relecture du passé consiste en la sélection d'un certain nombre d'événements marquants considérés comme plus pertinents que d'autres. Il s'agit d'événements fondateurs qui font signe pour construire le sens de l'histoire et anticiper son dénouement.

Les apocalypses juives étaient fortement concernées par les situations de guerre où les Juifs se révoltaient contre leurs oppresseurs. La guerre des Macchabées, où les Juifs avaient provisoirement retrouvé une certaine indépendance politique, servait souvent de référence implicite à l'attente d'un messie à venir. L'Apocalypse de Jean, en mettant au centre de son propos la crucifixion et la résurrection, à travers la figure de l'agneau immolé et de la guerre de l'agneau, était une contestation de cette volonté de guerre. Pour Jean, l'événement fondateur à partir duquel il relit l'histoire est la résurrection : elle est, pour lui, un nouvel exode qui donne naissance au peuple de l'Église. Jean critique aussi, et d'un autre côté, la prétention de l'empereur romain à gouverner l'histoire en se faisant l'égal d'un dieu : il l'apparente à une bête monstrueuse.

Si l'on réfléchit à la manière dont notre propre société relit son passé pour interpréter son présent, on s'aperçoit qu'en effet, beaucoup de choses tournent autour d'événements considérés comme fondateurs : des événements qui ont bousculé le cours de l'histoire et qui influencent, aujourd'hui encore, notre vie sociale. Ces événements fondateurs que reconnaît la société française aujourd'hui sont des révolutions d'ordre divers : la Révolution française, la révolution industrielle, la révolution informatique et la révolution des pratiques familiales et des modes d'autorité qui s'est jouée autour de Mai 68. Dans chaque cas on a l'impression que rien ne sera plus comme avant et qu'on ne peut pas comprendre le monde actuel sans tenir compte de ces événements. Nous devons questionner ces événements : questionner la Révolution française en interpellant le politique sur sa prétention à gouverner selon la justice ; questionner la révolution industrielle sous l'angle de la gestion des ressources naturelles, de la répartition de la richesse, ou de l'utilité des objets consommés ; questionner l'usage de l'informatique en affirmant la valeur centrale et incomparable de l'intelligence humaine et de la communication intersubjective en face à face ; questionner l'individualisme qui s'est accentué depuis le milieu des années 60 en soulignant les souffrances de la solitude et de l'abandon.

Les événements fondateurs structurent effectivement notre vie en société. En repartant de l'événement fondateur de la croix et de la résurrection nous pouvons construire, dans l'Église, les germes d'une vie sociale autre qui se superpose à la vie sociale commune : une vie communautaire où le pouvoir est réellement partagé (et c'est une manière d'interroger l'idéologie républicaine qui s'ancre dans le souvenir de la Révolution française) ; où l'ingéniosité des hommes sert au bénéfice commun (et nous questionnons ainsi la révolution industrielle) ; où les communications sont profitables à chacun (alors que le cyber-monde n'est pas toujours un monde de communication) ; où chacun est épaulé par ses frères (ce qui est une manière de répondre à l'individualisme ambiant). C'est notre guerre de l'agneau aujourd'hui. C'est ainsi que nous pouvons relire, à notre tour, les symboles des textes eschatologiques d'autrefois. Mais si, sur chacun de ces points, notre vie communautaire est défaillante, notre eschatologie tournera à vide. Nous n'annoncerons plus aucune espérance pour le monde.

3. La logique de l'eschatologie

L'élément le plus surprenant est peut-être la dimension rationnelle de l'eschatologie, alors même que nous avons l'impression d'un discours arbitraire et décousu. L'eschatologie est à la recherche de régularités dans l'histoire du monde afin de pouvoir comprendre le monde. La relecture incessante du passé dont nous venons de parler est, d'ailleurs, un signe de cette recherche de régularités. On essaye de ramener les événements d'aujourd'hui, aussi difficiles à comprendre et pénibles soient-ils, à une trame connue et déjà expérimentée dans le passé.

Aujourd'hui nous pratiquons, sans aucun doute, une lecture de l'histoire bien plus rationnelle que celle pratiquée par les eschatologies d'autrefois. Pourtant il est clair que dans la vision du monde que présentent les apocalypses juives, il y a une avancée dans la rationalité. Si on compare, par exemple, la partie apocalyptique du livre de Daniel avec le livre d'Ézéchiel qui n'est pas rentré tout à fait dans le schéma apocalyptique, on s'aperçoit d'une différence. Des deux côtés il y a une profusion d'images, mais Daniel ajoute à Ézéchiel une chronologie un peu mécanique et il donne quelques détails sur le nom des anges. On cherche donc à construire quelque chose comme une mécanique et on cherche à donner des noms stabilisés à des êtres qui se tiennent entre ciel et terre. Qu'est-ce que cela veut dire ? Si on considère que le texte biblique n'est pas une serre chaude où tout se développe en autarcie, mais qu'il témoigne d'un dialogue avec d'autres cultures, on peut se demander où on va trouver des évolutions analogues. On les trouve peu dans le champ sémitique mais beaucoup dans le champ indo-européen. Les religions de la Perse (soit l'Iran d'aujourd'hui) présentent, par exemple, quelque chose d'analogue. Naturellement, dès qu'on rentre dans ce champ, les problèmes de datation deviennent extrêmement ardus car on ne possède que des mises par écrit tardives de la tradition orale de ces religions. Mais en gros, on peut être raisonnablement sûr que, plusieurs siècles avant Jésus-Christ, on voit émerger là-bas des considérations religieuses faisant référence à des chronologies numériques, à une abstraction du principe du bien et du principe mal (sans qu'on aboutisse encore au dualisme) et à des divinités allégoriques à vocation abstraite (du genre : « la juste pensée »). L'orientation globale des textes comme l'Avesta ou le Bundahishn est très différente de celle des textes bibliques, mais ce qui est commun, c'est cette mobilisation de l'allégorie pour généraliser des quasi-concepts, de la chronologie pour ordonner la marche de l'histoire et des oppositions pour découper le réel en catégories.

Tout cela est apparenté avec la philosophie grecque : les échanges culturels dans le monde indo-européen sont nombreux. On essaye, donc, de tirer profit des constructions abstraites de la pensée grecque émergente à l'époque, tout en restant dans un langage religieux. Cela fournit un maillon pour comprendre à quoi ont essayé de répondre les auteurs des apocalypses. Les religions de la Perse ont débordé jusqu'à Babylone et encore bien plus loin à partir du moment où Cyrus est entré dans Babylone. À travers ces personnages allégoriques et ces chronologies mécaniques on essayait de discerner des événements typiques dans l'histoire, des modes de fonctionnement standard, des logiques régulièrement à l'œuvre, bref des régularités dans l'histoire du monde.

Le livre de *1 Hénoch* témoigne de cette préoccupation : dans ce livre on rattache directement la marche du monde au mouvement des astres.

> « Considérez tous les corps célestes : ils ne modifient pas leur parcours ; et les luminaires célestes : ils se lèvent et se couchent chacun au moment fixé, ils apparaissent en leurs saisons et ne s'écartent pas de la règle fixée à chacun d'eux. Voyez la terre et pensez aux travaux qui s'y font, du commencement jusqu'à la fin : tout passe, rien ne change de ce qui est sur terre, mais tout vous apparaît comme l'œuvre de Dieu. (...) D'année en année, à jamais, toutes Ses œuvres se produisent de la sorte, ainsi que toutes les œuvres qu'elles accomplissent pour Lui : elles ne changent pas mais tout paraît s'accomplir selon un ordre. Voyez comme la mer et les fleuves accomplissent leurs œuvres de manière uniforme, et leurs œuvres ne changent pas, ne s'écartent pas de Sa parole. Or, vous, vous avez changé vos œuvres. Vous n'avez pas agi selon Ses commandements » (*1 Hénoch*, II 1-2 et V 1-4)[1].

Ce passage se trouve au début du livre. Ensuite les chapitres LXXII à LXXXII sont tout entiers consacrés à un « Traité d'astronomie et de météorologie » qui est censé apporter des lumières sur l'histoire du monde.

Tout cela nous donne des outils pour comprendre le langage apocalyptique. Dans le langage allégorique on utilise un personnage là où nous utiliserions aujourd'hui un concept. C'est comme cela qu'on rationalise à l'époque : on cherche à retrouver au fil de l'histoire les mêmes fonctionnements, les mêmes personnages typiques, des événements qui se répètent.

Maintenant si on compare l'Apocalypse de Jean et, par exemple, le texte de *1 Hénoch* que nous avons cité, on observe des différences. Jean utilise un langage commun avec l'allégorie, mais son discours est divergent quant au contenu. Par opposition à la vision purement mécanique de l'histoire où le mal est affaire d'horlogerie, Jean s'ancre dans la tradition biblique qui parle d'un Dieu qui se rend prévisible en faisant

---

1. Nous citons ce texte d'après André DUPONT-SOMMER et Marc PHILONENKO dir., *La Bible, Écrits intertestamentaires*, *op. cit.*, p. 473-474.

alliance avec son peuple. La régularité provient de cette alliance et pas du mouvement des astres. Dieu a édicté des règles éthiques auxquelles il demande aux hommes de se conformer. Ensuite, on peut observer des révoltes régulières des hommes qui revêtent des aspects largement similaires d'une époque à l'autre.

Cette opposition est riche de sens pour nous dans la mesure où la rationalisation des images du monde n'a fait que progresser depuis le premier siècle. Ce débat avec les premières tentatives de rationalisation nous concerne donc tout particulièrement.

La modernité a été, de fait, traversée par une eschatologie mécanique du progrès qui reste au fond des consciences même si elle a du plomb dans l'aile aujourd'hui. Cette eschatologie dit que, les connaissances s'accumulant, le progrès technique va s'accumuler, que la richesse va donc s'accumuler et que tout ira de mieux en mieux. Ce faisant, on fait l'impasse sur l'éthique. Bien sûr aujourd'hui l'écologie, les questions de bioéthique, la critique de la technocratie, la prise de conscience du pouvoir de destruction des armes ont remis en question cette croyance naïve. Mais elle reste vivante dans le champ économique. On continue à attendre beaucoup de la croissance.

Conclusion

Ces différentes facettes de l'eschatologie une fois parcourues on voit, en effet, que l'eschatologie continue à concerner notre vie quotidienne. Là où certains voudraient faire disparaître leur souffrance par la violence, nous devons pratiquer collectivement l'amour de l'ennemi. Là où certains s'enferment dans la nostalgie, nous devons rappeler l'appel incessant à aller de l'avant et à tenter de mettre en oeuvre, dès aujourd'hui, les valeurs du Royaume. Là où d'autres espèrent tout de la mécanique du progrès nous devons rappeler le caractère indépassable de l'éthique, du choix qui est devant nous, de cet appel à pratiquer la justice qui suppose autre chose que de se laisser porter par la dynamique spontanée du monde qui nous entoure.

Frédéric DE CONINCK
Sociologue,
directeur de recherches
à l'École nationale des Ponts et Chaussées

Une paix sans eschatologie[1] ?

La pensée chrétienne nous apprend à prêter plus d'attention à l'importance de l'espérance pour la vie chrétienne. Au cours des décennies précédant la Seconde Guerre mondiale, la pensée chrétienne fut fortement influencée par des prédicateurs et des penseurs qui voyaient « la fraternité humaine » à portée de main, et qui pour cette raison pensaient qu'il était inutile de perdre du temps avec l'eschatologie. Le terme même les faisait frémir ; il semblait suggérer des spéculations folles et l'émergence de fanatiques déconnectés des besoins réels du monde. Pourtant, malgré leurs préoccupations sociales terre-à-terre et leur refus de fixer des dates, ces optimistes qui plaçaient leur confiance en l'homme, avaient également une eschatologie. Leur simple confiance d'être assurés du sens de la vie constituait en soi une doctrine de ce qui est dernier – c'est-à-dire une eschatologie – bien qu'elle fut sujette à caution, en partie inconsciente et non directement construite sur des fondements chrétiens.

Le projet du Conseil œcuménique des Églises de placer au centre des délibérations d'Evanston[2] l'espérance chrétienne est en lui-même la reconnaissance que l'histoire et les efforts humains ne peuvent être

1. Cet article a paru sous le titre original « If Christ is Truly Lord » dans John H. YODER, *The Original Revolution : Essays on Christian Pacificism*, Scottdale, Herald Press, 1971, p. 55-90. Le texte a été traduit par Thomas Gyger (revu par Pascal Keller et Neal Blough) et paraît ici avec la permission de Herald Press. La première version remonte à 1954 et avait comme titre « Peace without Eschatology », ce que nous reprenons ici. Ce même chapitre a été repris plus récemment dans John Hower YODER, *The Royal Priesthood : Essays Ecclesiological and Ecumenical,* sous dir. Michael G. CARTWRIGHT, Grand Rapids, Eerdmans, 1994, p. 143-167.

2. La seconde assemblée générale du Conseil œcuménique des Églises, prévue pour l'été 1954 à Evanston, Illinois autour du thème « Christ, l'espérance pour le monde » a défini le thème de la conférence de Heerenwegen pour laquelle ce chapitre fut d'abord écrit.

compris que dans la perspective du plan de Dieu. Les efforts humains et, à plus forte raison, l'histoire n'ont de signification que dans la perspective du but final. L'*eschaton*, la « chose dernière », l'événement final, donne à la vie un sens qu'elle n'aurait pas autrement.

L'utilisation du terme de « paix » pour désigner la position de l'objecteur de conscience ou des « Églises historiquement pacifistes » constitue un exemple particulièrement pertinent du mode de pensée eschatologique. Le terme de « paix » n'est pas une description exacte de ce que vécurent généralement les chrétiens non-résistants à travers l'histoire, ni de la manière dont est traité actuellement l'objecteur de conscience dans la plupart des pays. Le pacifisme chrétien ne garantit pas non plus un monde sans guerre. Le terme de « paix » rend compte de l'espérance du pacifiste, de la lumière dans laquelle le chrétien agit, du caractère de l'action chrétienne, de la certitude ultime en Dieu qui donne sens à la position chrétienne ; il ne décrit pas l'apparence extérieure, ni les résultats observables d'un comportement chrétien. Voilà ce que nous entendons par eschatologie : une espérance qui, défiant les frustrations immédiates, définit une position présente dans la perspective d'un but encore invisible qui lui donne sens. Notre tâche est d'examiner ici la relation entre la position présente et le but, entre pacifisme et « paix », sur la base de l'eschatologie biblique.

Nous devons tout d'abord distinguer entre l'*eschatologie* – dont l'objet, comme nous l'avons relevé est la signification de l'*eschaton* pour l'histoire présente – et l'*apocalyptique*, c'est-à-dire l'effort mis en œuvre pour obtenir des informations précises concernant la date et la forme des choses à venir. Contrastant fortement par rapport à la littérature apocryphe de son époque, la Bible se préoccupe bien davantage d'eschatologie que d'apocalyptique ; même si nous y trouvons parfois le genre littéraire apocalyptique, sa préoccupation n'est pas la prédiction pour la prédiction, mais plutôt la signification qu'a le futur pour *le présent*. Il serait inexact de prétendre qu'un intérêt apocalyptique serait étranger à la perspective du Nouveau Testament ; cependant, nous poursuivrons notre étude sans nous poser les questions auxquelles répondent les apocalypses.

La recherche néotestamentaire récente s'est consacrée à extraire du témoignage de vie des Églises primitives le contenu du kérygme, le message central de la prédication apostolique. Ce message n'est toutefois pas une affirmation théologique atemporelle ; il est eschatologique du début à la fin, il est une révélation concernant les événements et leur place dans le déploiement du dessein divin. L'analyse des différentes étapes de l'histoire du salut constitue une étude bénéfique – le regard en arrière vers David et les prophètes de l'Ancienne Alliance, la narration des œuvres du Christ, sa passion et sa résurrection, le regard en avant vers sa venue en vue de laquelle, toute l'humanité doit se repentir[1] – car chacune de ces étapes possède sa propre signification sur le plan éthique. Nous devons cependant limiter notre étude à la signification du temps présent, un temps qui s'étend de la résurrection à la venue finale. Dans ce cadre, nous chercherons la réponse à deux questions : comment pouvons-nous comprendre les tentatives de « construire la paix sans eschatologie », c'est-à-dire, pour les chrétiens, les tentatives d'élaborer une stratégie qui part d'une compréhension eschatologique erronée ? Ensuite, comment une eschatologie biblique peut-elle clarifier la place et la signification d'un pacifisme chrétien ? Les accents bibliques présupposés ici sont généralement acceptés par les théologiens contemporains de toutes les écoles de pensée.

1. Une paix avec l'eschatologie : la non-résistance et les éons

Le Nouveau Testament considère notre temps présent – le temps de l'Église, s'étendant de la Pentecôte à la Parousie – comme une période de chevauchement de deux éons. Ces éons ne constituent pas des périodes distinctes du temps, car ils existent simultanément. Ils diffèrent plutôt de par leur nature ou leur direction ; l'un renvoie à l'histoire humaine hors du (avant le) Christ ; l'autre pointe vers l'avenir, vers la plénitude du Royaume de Dieu, duquel il est l'avant-goût. Chaque éon se manifeste socialement : le premier dans le « monde », le second dans l'Église ou le corps du Christ.

Le nouvel éon a fait irruption dans l'histoire de manière décisive au travers de l'incarnation et de toute l'œuvre du Christ. Le Christ était attendu ardemment par les juifs depuis des siècles ; mais lorsqu'il est venu, il fut rejeté parce que l'éon qu'il révéla ne correspondait pas à l'attente des gens. Les contemporains de Jésus attendaient un nouvel âge, un accomplissement des plans de Dieu ; mais, ils attendaient la confirmation et le soutien de leurs espoirs, de leurs fiertés et de leurs solidarités nationales. C'est pourquoi, les affirmations du Christ et sa vision du Royaume les scandalisaient.

---

1. Cette liste particulière d'affirmations importantes est celle de C.H. DODD dans *The Apostolic Preaching and Its Developments*, Willet, Clarks and Company, 1937, p 9-15 ; trad. française : *La Prédication apostolique et ses développements*, Paris, Éd. Universitaires, 1964.

Le nouvel éon entraîne une rupture radicale avec l'ancien ; aussi le Christ était-il obligé de rompre avec la communauté nationale juive pour rester fidèle à sa mission. L'évangile qu'il apporta, bien qu'exprimé au moyen de termes empruntés au domaine des gouvernements (royaume) et impliquant des conséquences certaines sur l'ordre social, proclamait l'institution d'un nouveau genre de vie et non d'un nouveau type de gouvernement. Au travers de tout son ministère, depuis la tentation dans le désert jusqu'aux derniers instants à Gethsémané, il se vit offrir de toute part des moyens politiques en guise de raccourcis pour l'accomplissement de son dessein ; mais il refusa d'en faire usage. Avec son « Qui m'a établi juge sur vous ? », il a frappé l'institution judiciaire humaine au cœur et avec « Je ne suis pas venu apporter la paix, mais le glaive », il est intervenu même dans l'intimité du cercle familial. Par le passé, les spécialistes de la Bible ont prêté une attention insuffisante à cet aspect de l'attitude de Jésus ; en ce qui concerne la question que nous traitons, il est extrêmement important d'être conscient que la communauté humaine (telle qu'elle existe sous le signe de l'ancien éon) était bien loin d'être la préoccupation centrale de Jésus[1].

Ce sont les gens qui intéressaient Jésus ; la raison de son peu d'estime pour l'ordre politique tenait à sa grande et bienveillante estime envers les personnes concrètes, sujets de sa préoccupation. Le Christ est l'*agapè* ; un amour qui se donne, un amour non-résistant. Cette non-résistance, incluant le refus de moyens politiques d'autodéfense a trouvé sa révélation ultime à la croix, dans la mort silencieuse et « pardonnante » de l'innocent livré entre les mains du coupable. Cette mort révèle comment Dieu agit avec le mal ; ici se trouve le seul point de départ valable pour un pacifisme et une non-résistance chrétiens. La croix est la démonstration extrême de ce que l'*agapè* ne cherche ni l'efficacité, ni la justice, et qu'elle est disposée à subir des pertes et des défaites apparentes pour prix de l'obéissance.

---

1. Ce paragraphe emploie des termes comme « gouvernement » ou « politique » pour désigner les structures de la communauté humaine « sous le signe de l'ancien éon » ; ces termes étaient expression courante dans la discussion théologique d'alors. Le reste de ce livre (*The Original Revolution* et plus tard *Jésus et le politique*) vise un usage plus contemporain et plus utile, dans lequel l'œuvre et la volonté du Christ devraient être qualifiée de « politique » au sens propre du terme, c'est-à-dire ayant à faire à la *polis*, à la vie commune des humains. Tandis que l'auteur préfère nettement son usage contemporain, la différence entre ce qui est dit dans le reste du livre en acceptant la caractérisation de « politique » et ce qui est dit dans le passage ci-dessus (1954) en évitant d'utiliser ce mot, n'est que sémantique.

Cependant, la croix n'est pas une défaite. L'obéissance du Christ jusqu'à la mort fut couronnée par le miracle de la résurrection et l'exaltation à la droite de Dieu.

> Il se rendit semblable
> aux hommes en tous points,
> et tout en lui montrait
> qu'il était bien un homme.
> Il s'abaissa lui-même
> en devenant obéissant,
> jusqu'à subir la mort,
> oui la mort sur la croix.
> C'est pourquoi Dieu l'a élevé
> à la plus haute place
> et il lui a donné le nom
> qui est au-dessus de tout nom…
> (Philippiens 2.7b-9)

L'efficacité et le succès ont été sacrifiés au profit de l'amour ; mais, ce sacrifice fut transformé par Dieu en une victoire qui a porté jusqu'à l'extrême limite l'impuissance apparente de l'amour. Cette même vie du nouvel éon qui fut révélée en Christ appartient également à l'Église depuis que l'événement de la Pentecôte fut donné en réponse aux attentes vétéro-testamentaires d'une « effusion de l'Esprit sur toute chair »[1] et d'une « loi écrite dans les cœurs »[2]. L'Esprit Saint est un « acompte » sur la gloire à venir, et la nouvelle vie dans la résurrection est la voie du chrétien maintenant. Mais avant la résurrection, il y avait la croix, et les chrétiens doivent suivre leur maître dans la souffrance, pour la cause de l'amour.

Par conséquent, la non-résistance n'est pas une affaire de légalisme, mais de discipulat ; ce n'est pas « tu ne dois pas », mais c'est « tel il est lui, tels nous sommes aussi dans ce monde » (1 Jn 4.17), et c'est particulièrement en relation avec le mal que le discipulat prend tout son sens. Chaque partie du Nouveau Testament affirme qu'il y a une relation directe entre la manière dont le Christ à souffert sur la croix et la manière dont le chrétien, en tant que disciple, est appelé à souffrir face

1. Le sermon de Pierre lors de la Pentecôte (Actes 2.17) interprète la Pentecôte comme l'accomplissement de Joël 2.28.
2. Hébreux 8.8-12 caractérise la Nouvelle Alliance comme l'accomplissement de cette promesse en Jérémie 31.33.

au mal (Mt 10.38 ; Mc 10.38ss, 8.34ss ; Lc 14.27). La solidarité avec le Christ (le « discipulat ») se trouve souvent être en tension avec la solidarité humaine dans un sens plus large (Jn 15.20 ; 2 Co 1.5 ; 4.10 ; Ph 1.29 ; 2.5-8 ; 3.10 ; Col 1.24ss ; Hé 12.1-4 ; 1 P 2.21ss ; Ap 12.11)[1].

Il n'est pas exagéré d'affirmer que la nouveauté révélée en Christ fut cette attitude particulière envers l'ancien éon, y compris la force et l'autodéfense. La croix ne fut pas en elle-même une nouvelle révélation ; Ésaïe 53 avait anticipé la voie que le serviteur de YHWH devait suivre. La résurrection ne fut pas essentiellement une nouveauté non plus ; la victoire de Dieu sur le mal avait été proclamée pour ainsi dire dès le début. L'élection d'un reste fidèle n'était pas davantage une nouvelle idée. Ce qui fut essentiellement nouveau avec le Christ, c'est l'incarnation de ces idées. Mais dans une première analyse, la grande nouveauté et l'occasion de chute fut sa disposition à sacrifier toute autre forme de solidarité humaine, y compris l'intérêt national légitime du peuple élu, pour la cause d'un amour non-résistant. Abraham avait entendu qu'en lui toutes les nations seraient bénies, et la plupart de ses descendants avaient justifié leur nationalisme au moyen de cette promesse. La révélation du Christ démontra le contraire : l'universalité du royaume de Dieu vient contredire plutôt que confirmer les solidarités particulières et il ne peut être atteint que par l'abandon *a priori* de l'ancien éon (Lc 18.28-30).

Dans l'Ancien Testament, les prophètes furent généralement des hommes solitaires, coupés de leur peuple à cause de leur loyauté envers Dieu (une position qui, en fin de compte, représentait leur loyauté réelle envers leur peuple, même si le peuple les condamnait comme agitateurs). Dans le Nouveau Testament, le corps du Christ s'est formé, et ainsi un nouveau peuple est apparu dans la lignée des prophètes, pour succéder à Israël en tant que peuple de la promesse[2]. Le nationalisme et le pragmatisme sont tous deux rejetés de la vie du peuple du nouvel éon, un peuple dont la raison d'être est l'amour à l'exemple de la croix et dans la puissance de la résurrection.

---

1. Comparer avec *Jésus et le politique*, Lausanne, P.B.U., 1984, chap. 8, où le sujet du partage de la souffrance du Christ est traité de manière plus complète.

2. La phrase « succéder à Israël » ne doit pas être comprise comme l'attribution aux auteurs du N.T. de l'antisémitisme du deuxième siècle chrétien. La désobéissance d'Israël était un thème récurrent constant des prophètes hébreux. Le témoignage des apôtres n'est pas de dire qu'Israël est évincé, mais plutôt qu'Israël est restauré ou redécouvert sous une forme nouvelle qui intègre les gentils dans l'alliance.

Le Christ n'est pas seulement la Tête de l'Église ; il est en même temps le Seigneur de l'histoire, régnant à la droite de Dieu sur les principautés et les puissances. L'ancien éon, symbole de l'histoire humaine sous le signe du péché, a aussi été amené sous le règne du Christ (qui n'est pas identique au royaume de Dieu achevé, 1 Co 15.24). La caractéristique du règne du Christ est que le mal, sans être effacé, est canalisé par Dieu malgré lui, afin de servir le dessein divin. La vengeance même, manifestation la plus caractéristique du mal, au lieu de générer le chaos selon sa nature, est limitée par l'État de manière à préserver l'ordre et à offrir un espace afin que l'Église puisse croître et agir. La vengeance n'est pas rachetée pour autant, ni transformée en bien ; elle est néanmoins assujettie à la cause de Dieu, comme une anticipation de la défaite ultime et promise du péché.

Cette seigneurie sur l'histoire avait déjà été affirmée pour YHWH dans l'Ancien Testament. Ésaïe 10 illustre l'usage divin de la propension de l'État à la vengeance pour exercer son jugement, mais sans approuver l'esprit de revanche et sans pour autant dispenser le « fouet de sa colère » à son tour. Lorsque le Nouveau Testament attribue cette seigneurie sur l'histoire et sur les puissances au Christ, cela signifie que le changement essentiel ne s'est pas produit dans la sphère de l'ancien éon, de la vengeance et de l'État, pour lesquels on n'observe effectivement aucun changement ; c'est plutôt le nouvel éon qui prend la primauté sur l'ancien, qui explique l'ancien et qui finira par le vaincre. L'État n'a pas changé avec la venue du Christ ; ce qui a changé c'est la venue du nouvel éon, proclamant la condamnation de l'ancien.

Romains 13, ainsi que les passages parallèles de 1 Timothée 2 et 1 Pierre 2 nous donnent le critère pour discerner jusqu'où les activités de l'État (étant donné que l'État incarne ce mal à moitié soumis) sont assujetties au règne du Christ. Si l'usage de la force sert à protéger l'innocent et à punir les malfaiteurs, de manière à préserver la paix afin que « tous puissent arriver à la connaissance de la vérité », alors l'État peut être considéré comme s'intégrant dans le plan de Dieu et, dans cette mesure, comme assujetti au règne du Christ. Cependant, cette évaluation positive ne s'applique pas automatiquement à un État donné dans toutes ses actions, mais au mieux au cas par cas, chaque fois qu'il choisit la meilleure alternative au lieu d'ajouter le mal au mal. Cependant, il est possible et même fréquent pour un État, d'abandonner cette fonction, de refuser toute forme de soumission à un ordre moral supérieur à lui-même, et en agissant ainsi, de punir l'innocent tout en récompensant le coupable. L'État tel que nous le trouvons en Apocalypse 13, est très justement décrit comme démoniaque. Pilate, en condamnant

Jésus, sans s'inquiéter d'être honnête par rapport à sa propre reconnaissance de l'innocence de Jésus, montre et illustre la forme légère de cette désobéissance ; la forme forte de nos jours est suffisamment bien connue pour ne pas nécessiter de description plus détaillée.

Cullmann décrit la subjugation de l'ancien éon avec les notions de « Jour J » et « Jour V » (jour de la victoire). Le Jour J, le débarquement réussi sur le continent européen par les Forces alliées asséna le coup décisif qui permit de déterminer la fin de la Seconde Guerre mondiale. La guerre n'était pas terminée pour autant. Entre le coup décisif et la capitulation définitive (Jour V) il y eut une période durant laquelle les forces de l'Axe menèrent une bataille perdue, tandis que les alliés étaient relativement sûrs de leur triomphe final. Cela correspond aux âges de l'Église. Le mal est potentiellement vaincu, et sa soumission est déjà une réalité pour le règne du Christ, mais le triomphe final de Dieu doit encore venir.

L'achèvement signifiera la réalisation du nouvel éon et l'effondrement de l'ancien. Le « monde » au sens de la création deviendra, après épuration, identique au nouvel éon, après avoir été l'otage de l'ancien. C'est dans la lumière de cet accomplissement promis que la vie dans le nouvel éon, qui paraît pour l'instant si inefficace, est malgré tout significative et juste.

L'achèvement est premièrement la justification du chemin de la croix. Jean pleure tout d'abord de désespoir, parce qu'il n'y a personne pour rompre les sceaux du rouleau dans lequel se trouve révélé le sens de l'histoire. Mais la proclamation que l'agneau immolé est digne de prendre le livre et d'en rompre les sceaux le remplit de joie (première vision, Ap 5), car l'Agneau a rassemblé tous les peuples et toutes les nations afin de constituer un royaume de serviteurs de Dieu qui régneront sur terre. Le sens final de l'histoire se trouve dans l'action de l'Église. (La relation entre la souffrance du Christ et son triomphe est également relevée en Philippiens 2 ; le rôle central de l'Église se trouve aussi affirmé dans Tite 2 et 1 Pierre 2). La victoire de l'Agneau au travers de sa propre mort scelle la victoire de l'Église. La souffrance de l'Église, à l'image de la souffrance du maître, est le critère de l'obéissance de l'Église à l'amour divin. La non-résistance est juste, dans son sens le plus profond, non pas parce qu'elle est efficace, mais parce qu'elle anticipe le triomphe de l'Agneau immolé.

La complicité apparente entraînée par une position non-résistante a toujours été une occasion de chute pour les non-pacifistes. Mais nous devons relever ici qu'une telle attitude, qui laisse le mal libre d'être le mal, qui laisse le pécheur libre de rester séparé de Dieu et de pécher contre l'humanité, fait partie intégrante de la nature même de l'*agapè*, telle qu'elle est déjà révélée dans la création. Si l'affirmation de Péguy « complice, c'est pire que coupable » est vraie, alors Dieu doit être le coupable, d'une part parce qu'il a créé les hommes libres et d'autre part parce qu'il a laissé mourir son fils innocent. La tendance moderne à rendre équivalentes participation et culpabilité devrait s'appliquer par excellence, pour autant qu'elle soit valide, à l'implication du Dieu tout-puissant dans le péché de ses créatures. L'amour de Dieu en notre faveur commence exactement là où Dieu permet le péché contre lui-même et contre les autres, sans écraser le rebelle par sa propre rébellion. Le terme utilisé pour qualifier une telle attitude est la patience divine et non la complicité.

Mais cette bienveillante patience divine n'est pas toute la réponse au mal. Nous avons vu que le mal avait déjà été mis en échec par le règne du Christ ; l'achèvement de son règne est la défaite de tout ennemi par l'exclusion du mal. Tout comme la doctrine de la création affirme que Dieu nous a créés libres et comme la doctrine de la rédemption affirme que c'est cette liberté du péché qui a conduit l'*agapè* à la croix, ainsi la doctrine de l'enfer laisse au péché la liberté de choisir la séparation finale et irrévocable d'avec Dieu. Ce n'est qu'au travers du respect de cette liberté, avec toutes ses conséquences, que l'amour peut donner un sens à l'histoire. Tout universalisme qui, dans l'intention de magnifier la rédemption, chercherait à nier pour le pécheur non-repentant la liberté de refuser la grâce divine, viderait par la même occasion le choix humain de tout sens réel. L'ancien éon se termine (en étant laissé à lui-même) par le jugement et l'enfer, le sort du désobéissant étant l'exclusion du nouveau ciel et de la nouvelle terre, l'achèvement de la nouvelle société qui a commencé dans le Christ.

Le Nouveau Testament exprime suffisamment clairement, et tous les exégètes sont d'accord à ce sujet, que le triomphe final sur le mal ne sera pas provoqué par des moyens humains ou politiques. L'agent dans le jugement n'est pas l'Église, parce que celle-ci souffre de manière non-résistante. (Notez les thèmes de patience et d'endurance dans Ap 6.9-11, 13.10, 14.12). Cet agent ne sera pas non plus l'État, car il sert aux jugements de Dieu à l'intérieur de l'histoire ; en fait, le roi ou l'État, qui refuse de manière de plus en plus démoniaque la domination du Christ, devient l'ennemi principal de Dieu (l'Antichrist). L'agent de Dieu est sa propre Parole miraculeuse, l'épée issue de la bouche du Roi des rois et du Seigneur des seigneurs, chevauchant le cheval blanc (Ap 19). Comme cela fut toujours le cas depuis les patriarches et plus particulièrement depuis la croix du Christ, le propre de l'obéissance est d'obéir et la responsabilité d'apporter la victoire appartient à Dieu seul et à ses moyens, qui sont au-delà de tout calcul humain. La justification de l'obéissance humaine est donnée par l'intervention divine et non par le progrès humain. La responsabilité du chrétien pour vaincre le mal consiste à résister à la tentation d'atteindre ce but par ses propres armes. Écraser l'adversaire méchant, c'est être vaincu par lui car cela signifie accepter ses normes.

On a souvent utilisé l'expression d'éthique intérimaire en parlant de l'éthique du Nouveau Testament. Généralement (selon le courant de pensée dérivé d'Albert Schweitzer), cette expression signifie que le Christ et les auteurs du Nouveau Testament ont été poussés à une attitude irresponsable par rapport à l'éthique sociale à cause de leur attente d'une fin des temps imminente. Cette analyse découle d'une tentative d'appréciation faite sur la base de l'ancien éon. La position du Nouveau Testament se trouve plutôt résumée dans le texte suivant : « Si donc vous êtes ressuscités avec le Christ, cherchez les choses d'en haut… » (Col. 3.1). Cela implique une vue à long terme et non à court terme ; cela signifie la confiance en Dieu pour le triomphe par le moyen de la croix. La foi est exactement cette attitude (illustrée par les exemples de Hé 11.1–12.4), cette disposition à accepter la voie en apparence inefficace de l'obéissance, tout en faisant confiance à Dieu pour les résultats. La foi, même en Hébreux 11.1ss, ne signifie pas une acceptation doctrinale d'affirmations non-prouvées, mais la manifestation de cette confiance en Dieu que le Christ a initiée et vécu pleinement (12.3). Encore une fois, l'exemple est donné par la croix qui était juste en elle-même, même si cette justice (en termes d'effets ultimes) n'était pas encore apparente.

2. La paix sans eschatologie : l'hérésie constantinienne

Nous avons vu que la situation eschatologique, dans laquelle la non-résistance avait un sens et où l'État avait sa place, était une situation de tension entre deux éons, tension qui sera résolue par le triomphe du nouvel éon dans la plénitude du royaume de Dieu. L'attitude qui consiste à rechercher une paix sans eschatologie est une attitude qui cherche à identifier l'Église et le monde ou à fusionner les deux éons dans le temps présent sans l'action de Dieu par laquelle le mal est retiré de la scène. Elle représente également une confusion entre le rôle providentiel de l'État, consistant à maintenir « un équilibre tolérable des égoïsmes » (une expression empruntée avec gratitude à Reinhold Niebuhr) et le rôle rédempteur prévu pour l'Église qui doit rejeter l'égoïsme par l'engagement dans le discipulat. Cette confusion conduit à la paganisation de l'Église et à la démonisation de l'État.

La compréhension commune de la religion dans le Moyen-Orient ancien était celle d'une divinité tribale ; la signification d'un dieu n'était pas éthique, mais cérémonielle. Dieu n'était pas là pour dire à son peuple comment vivre, il servait au contraire à renforcer son unité tribale et à garantir sa prospérité au travers de l'observance de rituels cultuels appropriés. Cette attitude païenne se révéla aussi en Israël au travers des faux prophètes, dont la signification dans l'Ancien Testament est souvent sous-estimée. Alors que les vrais prophètes du Seigneur proclamaient les exigences éthiques de YHWH, le jugement, ainsi que l'appel à la repentance, les faux prophètes étaient soutenus par l'État en contrepartie de leur appui pour ses projets. Plutôt que de définir les demandes éthiques de Dieu, ils remettaient à Dieu l'approbation des projets des rois. Jérémie disait que leur message consistait à proclamer la paix lorsqu'il n'y avait point de paix, c'est-à-dire à proclamer la prospérité sans le jugement, la paix sans l'eschatologie. Une telle position était bien éloignée du pacifisme. « Shalom », « la paix » telle que les faux prophètes l'annoncent, ne signifie pas absence de guerre, mais bénédiction divine sur des buts nationaux, y compris sur la guerre pour défendre les intérêts nationaux (Jr 6.13-15 ; 8.7-14). Les faux prophètes font de Dieu un manœuvre plutôt qu'un juge, en inaugurant ainsi la lignée de ceux qui visent à sanctifier le nationalisme à l'aide du nom de Dieu. Cette ligne se poursuit avec les Macchabées et les différents partis du temps de Jésus qui unirent de diverses manières foi et nationalisme – les sadducéens par la collaboration, les zélotes par la rébellion. Jésus, qui était en contact étroit avec le mouvement zélote, s'opposait de manière cohérente à leur idée de faire la guerre en vue de l'indépendance nationale[1].

Le constantinisme est l'expression classique utilisée pour qualifier cette attitude dans l'ère de la chrétienté ; ce terme fait référence à la compréhension de la chrétienté qui prit forme au cours du siècle situé entre l'Édit de Milan et *La Cité de Dieu* (Augustin). La nature essentielle de ce changement, que par ailleurs Constantin lui-même n'a ni inventé, ni imposé à l'Église, n'est pas une affaire de doctrine, ni de régime ; elle est constituée par l'identification de l'Église et du monde

---

1. Oscar CULLMANN, *The State in the New Testament* (New York. Scribners,1956) ; trad. française : *Dieu et César*, Neuchâtel et Paris, Delachaux & Niestlé, 1956 et *Jésus et les révolutionnaires de son temps. Culte, société, politique*. Delachaux et Niestlé, 1973. Comparez également avec l'approfondissement ultérieur du thème de la tentation zélote dans *Jésus et le politique*, *op. cit.*

dans une approbation mutuelle et un soutien réciproque entre Constantin et les évêques. L'Église a cessé d'être la lignée souffrante et obéissante des prophètes ; elle possède des droits acquis dans l'ordre présent des choses et elle utilise les moyens cultuels à sa disposition pour légitimer cet ordre. L'Église ne prêche pas l'éthique, le jugement, la repentance, la séparation d'avec le monde ; elle dispense des sacrements et assure la cohésion de la société. L'éthique chrétienne ne signifie plus la recherche de la volonté de Dieu pour nous ; étant donné que toute la société est chrétienne (par définition, c'est-à-dire par baptême), l'éthique chrétienne doit être applicable à chaque membre de la société. Au lieu de rechercher la sanctification, l'éthique commence à s'occuper du pouvoir persistant du péché et du calcul du moindre mal ; au mieux elle produit le puritanisme, et au pire simplement l'opportunisme.

Il n'était pas du tout surprenant qu'Augustin, pour qui l'Église constantinienne était naturelle, considérait l'Église romaine comme la manifestation du millénium. Par conséquent, l'abandon conscient de l'eschatologie constituait le pas suivant dans l'union entre l'Église et le monde. Cela est logique, car le but de Dieu, à savoir la conquête du monde par l'Église, a été atteint (au travers de la conquête de l'Église par le monde). Augustin ne sous-estimait en aucune manière la réalité du péché ; mais il surestimait sérieusement la capacité des moyens institutionnels et sacramentels disponibles à le vaincre.

Ce raisonnement va plus loin encore. Si le Royaume est en train de se réaliser par le moyen de l'ordre présent, alors l'État n'est plus seulement un moyen de réconciliation des égoïsmes concurrents dans un but de maintien de l'ordre ; il peut être un agent de la défaite infligée par Dieu au mal, il peut même initier le désordre. Les croisades en constituent l'exemple classique. Plutôt que de préserver la paix, ce qui correspondrait selon 1 Timothée 2 à la vocation des rois, le Saint Empire romain fait la guerre pour la foi et contre les païens. Ainsi, la fonction de jugement, que l'eschatologie du Nouveau Testament réservait à Dieu, devient aussi la prérogative de l'État, avec l'assentiment, sinon l'encouragement de l'Église.

Dans son étude intitulée *Christianisme, diplomatie et guerre*, Herbert Butterfield démontre que les périodes de stabilité relative et d'avance culturelle ont été celles au cours desquelles les guerres se limitaient à des ajustements locaux pragmatiques entre des intérêts conflictuels (auquel cas elles pouvaient, dans une certaine mesure, être assimilées à la fonction de police et par conséquent être considérées comme assujetties au règne du Christ). De même, le progrès social le plus faible survenait lorsque des nations, dans une attitude constantinienne, se sentaient par honneur obligées de se battre pour la « cause ». La guerre de Trente Ans et les guerres idéologiques du XXe siècle en constituent de bons exemples. Dans pareil cas, l'usage de la force, en la vantant comme bien positif plutôt que comme mal assujetti au Christ, est démoniaque et ébranle la stabilité de la société plutôt que de l'affermir. Désormais libéré des limitations imposées par le Christ, l'État, béni par l'Église, devient à la fois plaignant, juge, jury et exécutant ; la justesse de la cause justifie ainsi n'importe quelle méthode, même la suppression et l'extermination de l'ennemi. Ainsi, même la doctrine néotestamentaire de l'enfer trouve sa place dans le constantinisme ; la fonction d'exterminer le mal (plutôt que de l'assujettir) subit un glissement depuis la fin des temps en direction du présent. N'étant pas trop éloignés du déclenchement d'une croisade mondiale qui mettrait fin à toutes les croisades, nous ferions bien de nous rappeler que la mentalité constantinienne et celle des croisés sont loin d'être une manière de servir le royaume de Dieu ; elles sont bien davantage une manière certaine de démonisation de l'État en niant les limites de son autorité et en refusant de soumettre ses revendications à une instance morale supérieure.

Le constantinisme était au moins cohérent avec son point de départ ; il ne connaissait qu'une société, celle de l'empire romain et a cherché à la christianiser. Mais aujourd'hui, les nations sont nombreuses et chacune d'entre elles affirme pour elle-même posséder l'autorité divine pour représenter la cause de l'histoire. L'origine de ce type de nationalisme se trouve également dans l'exemple de Constantin. Pour Constantin, le remplacement du règne universel du Christ par l'empire universel, excluait de fait les barbares. Cela semblait tout à fait normal du moment qu'ils n'étaient pas chrétiens ; en réalité, c'était là la sanction donnée par l'Église à l'état de division de la communauté humaine. Mais c'était également la porte ouverte à la notion qu'une nation, un peuple ou un gouvernement pouvait représenter la cause de Dieu en opposition à d'autres peuples qui, étant mauvais, devaient être amenés à la soumission. Lorsque les tribus germaniques remplacèrent l'empire, elles appliquèrent ce sens de la mission divine à leurs intérêts tribaux, malgré tous les efforts de l'Église médiévale pour préserver la paix. Dès le moment où cette attitude était admise en principe, elle pouvait servir à bénir le nationalisme de manière aussi cohérente que l'impérialisme. L'universalité du règne du Christ était ainsi remplacée par le particularisme des objectifs propres d'une nation.

Cela va même plus loin. En admettant qu'un égoïsme particulier puisse être porteur du sens de l'histoire, de telle manière que la cause d'une nation ou d'un groupe est soutenue par Dieu, la situation de discorde ainsi légitimée ne s'arrête plus au nationalisme. Tout comme l'unité médiévale en Europe s'est morcelée en royaumes autonomes se réclamant chacun de l'approbation divine, chaque nation tend actuellement à se morceler en classes et partis convaincus à leur tour d'être approuvés de Dieu ou de son équivalent sécularisé. Une fois qu'une « cause » justifie une croisade ou l'indépendance nationale, elle peut tout aussi bien justifier une révolution, une guerre froide qui menace de se réchauffer, ou le renversement d'un gouvernement pour satisfaire les intérêts d'un parti particulier. Tous ces phénomènes, de la révolution bolchevique à John Foster Dulles[1], constituent des exemples d'une même attitude fondamentale. Le devoir de l'État sous la seigneurie du Christ est d'assurer la paix. Pourtant, les phénomènes mentionnés présupposent qu'il est justifié de rompre la solidarité humaine au nom de la « cause » d'un groupe particulier qui se croit investi d'une mission divine et qui par là empoisonne le futur et introduit une rupture qui est l'exact contraire de cette paix.

Si, avec le Nouveau Testament, nous comprenons l'unité de l'Église comme un lien universel de foi, nous pouvons considérer que le vrai sectarisme, dans le sens biblique d'une division non-chrétienne, était la constitution d'Églises liées à l'État et rattachées à une nation. D'autre part, certaines soi-disant « sectes », notoirement les Anabaptistes du XVIe siècle, les Quakers du XVIIe siècle, les Moraves du XVIIIe siècle et les Frères du XIXe siècle furent les véritables défenseurs d'un christianisme universel, par leur liberté à l'égard de ces liens, par leur mobilité et leur préoccupation missionnaire, par leur préférence pour une piété biblique simple et pour une profession de foi orthodoxe. Par contre, les révolutionnaires de Münster en Westphalie (1534-35), avec lesquelles des historiens mal informés continuent de discréditer le terme « anabaptiste », ne constituaient pas un anabaptisme cohérent. Münster était un retour à la même hérésie acceptée par les luthériens comme par les catholiques, c'est-à-dire la croyance que les moyens politiques peuvent être utilisés contre les ennemis de Dieu en soumettant par la force à la volonté divine une société entière. C'est pourquoi l'anabaptisme non-résistant a dénoncé le « münstérisme » avant même la conversion

---

1. Note de traduction : Délégué américain aux Nations Unies (1945-49), qui a négocié la traité de paix avec le Japon mettant une fin officielle à la Deuxième Guerre mondiale, John Foster Dulles était secrétaire d'État des États-Unis pendant les années 1953-59. Pendant cette période de guerre froide, sa politique consistait à renforcer la sécurité collective de son pays et à encourager le développement d'armes nucléaires capables de réponse massive envers l'Union Soviétique.

de Menno Simons. Les révolutionnaires de Münster, tout comme Constantin, ont tenté de s'attaquer avec des moyens humains à une tâche qui sera effectuée à la fin des temps au moyen de la Parole de Dieu, c'est-à-dire la victoire finale de l'Église et la défaite du mal.

Le parallélisme entre des groupes opposés, qui prétendent chacun avoir raison, constitue une des manifestations saisissantes d'un constantinisme moderne particularisé. De nos jours, les exemples sont aussi manifestes qu'ils le furent au cours de la guerre de Trente Ans. Dulles et Molotov[1] étaient tous deux convaincus qu'une coexistence de deux systèmes opposés était impossible ; chacun était prêt non seulement à mener la guerre, mais encore à détruire toute culture plutôt que de laisser l'ennemi subsister. Chacun était sûr que l'autre était l'agresseur et que toute injustice et toute incohérence de son propre côté (tel que les méthodes policières des démocraties populaires, ou le soutien par les gouvernements occidentaux de Rhee, Tito, Franco et le colonialisme français) étaient une nécessité découlant de l'agressivité et de l'espionnage de l'ennemi. Chacun était convaincu d'avoir l'histoire du côté de son système et que le système opposé était l'incarnation du mal. Chacun était prêt à laisser les Églises soutenir le moral de la population ; aucun n'était disposé à se soumettre au jugement de Dieu et aucun ne ressentait le besoin de se repentir. Chacun se sentait obligé de prendre en main lui-même le plan de Dieu en garantissant le triomphe du bien au moyen des armes économiques, politiques et, au besoin, militaires disponibles. Chacun cherchait la paix en recourant à la force au nom de Dieu, mais en refusant de se soumettre au jugement de Dieu, en refusant d'abandonner son égoïsme collectif, en refusant de croire que Dieu était capable de transformer l'obéissance en triomphe par ses propres moyens. En résumé, chacun était là où se trouvait déjà Israël au temps de Michée, et chacun était amplement servi par une Église fidèle à la tradition des quatre cents prophètes de 1 Rois 22.7. Ils répondaient : « Monte et le Seigneur les livrera entre les mains du roi ». La paix sans eschatologie est devenue une guerre sans limites ; ainsi est accompli l'avertissement du Seigneur : « Satan ne peut pas être chassé par Belzébuth ».

---

1. Note de traduction : Il s'agit de Vyacheslav Mikhailovich Molotov (1890-1986), ministre des Affaires étrangères soviétique sous Staline. C'est lui qui a aidé Staline à obtenir et maintenir le pouvoir absolu.

3. L'eschatologie et le témoignage de paix

Ayant vu dans quelle mesure la thèse des croisés, à savoir que la fin justifie les moyens, va à l'encontre de ses propres buts, et comment en fin de compte l'hérésie constantinienne s'inverse en une vision purement païenne de Dieu perçu comme une divinité tribale, nous devons revenir à l'eschatologie du Nouveau Testament pour prendre un nouveau départ. Nous ne chercherons pas seulement à savoir quelle est l'exigence posée aux chrétiens (car à ce niveau, l'impératif de non-résistance est évident), mais nous nous demanderons aussi s'il est possible de déceler une ligne directrice dans le domaine de la stratégie sociale et du témoignage prophétique à l'égard de l'État. Certains aspects d'une vision chrétienne de l'histoire qui soit non-résistante, biblique et eschatologique seront esquissés ici.

Avant tout, nous devons admettre qu'une critique valable de la situation historique présente et que le choix d'une action efficace présupposent un point de vue eschatologique clair. Une analyse non-eschatologique de l'histoire est sujette au subjectivisme et à l'opportunisme et finira par être déterminée par la situation présente conditionnée par la chute. L'histoire, d'Abraham à Marx, démontre qu'une action significative, pour le bien ou le mal, est accomplie par ceux dont le présent est illuminé d'un espoir eschatologique. Certaines perspectives apocalyptiques peuvent favoriser une attitude passive face au mal social ; cela est dû précisément à l'aspect antichrétien et anti-biblique de ces perspectives. Mais la thèse de Schweitzer, généralement acceptée par les théologiens libéraux, selon laquelle l'attente apocalyptique de l'Église primitive a conduit à l'irresponsabilité sociale, est tout simplement fausse, exégétiquement et historiquement.

Les milieux pacifistes ont un urgent besoin de clarifier une ambiguïté sérieuse dans la compréhension de notre témoignage de paix. Cette ambiguïté a contribué à la faiblesse du pacifisme politique optimiste de l'ère Briand-Kellog[1], qui correspondait en réalité à une attitude constantinienne, parce qu'il imaginait une paix possible dans notre temps avec des États non-repentants. Une fois de plus, il y avait là un espoir de paix sans eschatologie.

---

1. Note de traduction : Le pacte Briand-Kellog fut signé par quinze nations à Paris le 27 août 1928. Il s'inscrivait dans le contexte des conférences internationales contre la guerre et pour le désarmement qui ont eu lieu après la Première Guerre mondiale. Il n'a pas empêché la guerre suivante, mais a posé un pas important dans la conception contemporaine de la guerre comme un acte illégal d'un État agresseur contre un État victime.

Trois éléments sont nécessaires pour replacer notre témoignage de paix dans un contexte eschatologique valable. Le premier s'adresse aux chrétiens : « Que l'Église soit l'Église ! » Tout comme « Peace Is the Will of God »[1] [la paix est la volonté de Dieu] cherche à le réaliser, nous devons faire entendre à chaque chrétien que le pacifisme n'est pas la vocation prophétique de quelques individus, mais que le corps du Christ dans son ensemble est appelé à la non-résistance par le discipulat et à abandonner toute forme de loyauté qui contreviendrait à cette obéissance, y compris le désir d'être efficace immédiatement ou de se sentir soi-même responsable pour la justice civile. C'est l'appel de l'Épître aux Hébreux, un appel à la foi et à la sanctification. L'eschatologie n'ajoute rien au contenu de cet appel ; mais le fait de savoir que la manière d'agir de l'Agneau mènera finalement à la victoire finale, démontre, malgré le scandale, que cette voie n'est pas insensée.

Deuxièmement, il y a l'appel à l'individu, y compris à l'homme d'État, à se réconcilier avec Dieu. C'est de l'évangélisation dans le sens contemporain strict et cela fait partie du témoignage de paix. Toute préoccupation sociale qui ne fait pas de l'engagement personnel son centre est, soit utopique, soit une forme polie de démagogie. Mais nous avons toujours à nous occuper du problème avec lequel nous avons commencé. Quel est notre témoignage à l'égard de l'homme d'État, qui n'est pas dans l'Église et qui n'a pas l'intention de se convertir ? Seul l'eschatologie peut nous fournir une réponse ici, tandis que les « réalismes » qui s'accordent avec Constantin finissent par lui laisser le champ libre. Nous devons revenir à la première confession de foi chrétienne, *Christos Kyrios*, le Christ est Seigneur. Le règne du Christ implique pour l'État l'obligation de servir Dieu en encourageant le bien, tout en refrénant le mal, c'est-à-dire en servant la paix, en préservant la cohésion sociale dans laquelle, le levain de la foi peut construire l'Église et rendre ainsi l'ancien éon plus tolérable.

Butterfield qui n'est pas un pacifiste, mais un historien honnête, applique ce type de point de vue à la guerre. Il conclut que la guerre

---

1. La conférence de Heerenwegen, au cours de laquelle ce texte fut présenté pour la première fois, fut suivit par une séance de travail du *Comité de continuation des Églises historiquement pacifiste* et le *Mouvement international de la Réconciliation*, qui complétèrent le travail éditorial de ce texte. « Peace Is the Will of God » fut ensuite soumis conjointement par ces deux organismes au Conseil œcuménique des Églises, juste avant l'assemblée d'Evanston en 1954. « Peace Is the Will of God » a été rééditée dans une collection de documents issue de conversations œcuméniques, *The Christian and War*, Historic Peace Churches et International Fellowship of Reconciliation (MIR), Londres, Paris et Scottdale, 1970.

constantinienne, c'est-à-dire les croisades qui présupposent l'impossibilité d'une coexistence et dont le but est la capitulation inconditionnelle, n'est pas seulement un mauvais christianisme, mais également une mauvaise politique. Il conclut par un soutien modéré à ce qu'il appelle la « guerre limitée », c'est-à-dire une guerre qui est l'équivalent d'une action de police locale, visant non pas l'annihilation, mais le réajustement des tensions à l'intérieur de la structure de l'ordre international dont l'existence n'est pas remise en question. Il défend la thèse que cette sorte de diplomatie d'équilibre des pouvoirs, qu'on associe volontiers avec la période victorienne, est la plus réaliste. Parce qu'elle reconnaît qu'elle n'est pas le royaume de Dieu, elle est capable de préserver une justice de proximité permettant la croissance discrète de ce que Butterfield appelle les « impondérables », ces attitudes et ces convictions, pas toujours rationnelles ou conscientes, qui sont les agents conservateurs réels de la paix. Ces facteurs de cohésion – les idéaux de fraternité, d'honnêteté, de justice sociale, ou de vie abondante – sont les produits dérivés du témoignage chrétien et du foyer chrétien qui ont un effet de levain même sur les non-chrétiens et sur la société non-chrétienne. Dans ce contexte, il serait même possible de parler d'une doctrine limitée de progrès. Aussi longtemps que l'État n'interfère pas, soit par le fascisme, soit par la violence qui détruit le tissu social, ces produits dérivés du christianisme rendent le monde, même dans l'ancien éon, infiniment plus tolérable. Cependant, ils ne rendent pas en fin de compte l'homme et la femme meilleurs aux yeux de Dieu et ils n'en font pas des meilleurs gérants des talents qui leurs ont été confiés.

La fonction de l'État est comparée par Butterfield à la tâche de l'architecte qui construit une cathédrale. La force de gravité, tout comme l'égoïsme humain, ne sont pas en soi des forces constructives. Cependant, si l'art et la science s'associent pour façonner et bien placer chaque pierre, il en ressort une unité de tensions en équilibre, combinées non pas pour donner une impression de gravité, mais bien plus de légèreté et de sustentation. Sous le règne du Christ, la vocation de l'appareil politique est de préserver ce délicat équilibre entre des forces essentiellement destructrices, pour le bien non pas de la cathédrale, mais du culte qui se déroule à l'intérieur.

Ainsi, le témoignage prophétique de l'Église à l'égard de l'État se limite à des critères bien établis ; tout acte de l'État peut être mesuré sur la base de ces critères et l'appréciation divine doit être prononcée avec toute l'humilité requise. Les bons doivent être protégés, les malfaiteurs doivent être réfrénés, et le tissu social doit être préservé à la fois de la révolution et de la guerre. Donc, pour être précis, l'Église peut condamner les méthodes guerrières qui ne font la distinction ni des victimes, ni des buts dans les conflits dépassant un simple réajustement localisé des tensions. De tels actes sont injustes pour l'État, pas seulement pour les chrétiens. D'autre part, une action de police à l'intérieur de la société ou sous l'égide des Nations Unies, ne peut pas être condamnée par principe sur la même base ; la question est de savoir si les gardiens de la sécurité sont là pour que la situation ne s'aggrave pas. Dans la pratique, ces principes condamnent toute guerre moderne, non pas sur la base d'une éthique du discipulat perfectionniste, mais sur la base réaliste de la vocation effective de l'État.

Deux commentaires doivent être ajoutés ici. En premier lieu, le genre d'objectivité qui rend capable de voir la tâche de l'État dans cette perspective n'est réellement possible qu'aux chrétiens. Parce que seuls les chrétiens (et parmi eux seulement une petite partie) sont capables de combiner le pardon (ne pas retenir les péchés des autres contre eux) avec la repentance (la volonté de considérer son propre péché). Le païen voit tout le péché dans l'autre camp ; c'est pourquoi, la proclamation de la repentance constitue la seule libération de l'égoïsme et la seule base d'objectivité[1].

Deuxièmement, le message des prophètes a toujours pris une forme négative. Malgré toutes les munitions que la théologie du christianisme social a pu tirer des prophètes de l'Ancien Testament, ces prophètes ne proposent pas un plan détaillé pour l'administration de la société. Cela est rendu nécessaire à cause de la nature du cas, car l'État n'est pas un ordre idéal, idéalement définissable ; il est un équilibre pragmatique et tolérable des égoïsmes et il peut devenir plus ou moins tolérable. Définir le point de tolérance infini reviendrait à définir le Royaume ; cela ne peut pas être fait pour la situation présente. Ainsi, le prophète ou l'Église prophétique parle d'abord de toutes les condamnations divines des injustices concrètes ; lorsque ces injustices sont corrigées, de nouvelles peuvent être traitées. Il est possible de progresser dans la tolérance, comme nous le démontrent les démocraties de la Suisse, de l'Angleterre et des Pays-Bas, mais seulement dans une mesure limitée et dans des domaines spécifiques ; les moyens de progrès ne consistent

---

1. Le terme de « chrétien » dans ce texte se réfère à une position normative et à un état d'esprit. De même, le terme de « païen » ne renvoie pas aux adhérents d'autres religions, mais à l'état d'incrédulité et d'idolâtrie hors duquel le chrétien confesse avoir été appelé. Cf. André TROCMÉ, *The Politics of Repentance*, Fellowship, 1953 et Herbert BUTTERFIELD, *Christianity, Diplomacy, and War*, Abingdon-Cokesbury, 1953, en particulier le chapitre « Human Nature and Human Capability », p. 41ss.

pas à définir des utopies, mais à dénoncer des maux particuliers tout en inventant des remèdes appropriés. Dans une perspective plus large, les forces de désintégration avancent aussi vite que l'Église. Nous n'avons pas à être embarrassés lorsque des politiciens nous demandent ce qu'ils doivent faire ; notre première réponse sera de dire qu'ils ne font pas pour le mieux dans les situations qu'ils connaissent déjà, nous les appellerons à mettre fin aux injustices qu'ils commettent maintenant et à mettre en œuvre les idéaux qu'ils proclament maintenant.

4. Constantin et la responsabilité

La relation de tout ce développement avec la compréhension d'un pacifisme chrétien non-résistant est évidente. Il est tout aussi clair que le Nouveau Testament, dans son éthique, aussi bien que par son eschatologie, rejette la plupart des nationalismes et des militarismes ainsi que la vengeance en appelant les chrétiens à rendre le bien pour le mal. Toute autre tentative de tirer des Écritures le principe de l'approbation de la guerre, sur la base de ce que Jean-Baptiste a dit aux soldats, de ce que Jésus a dit avant Gethsémané, de ce que Samuel a dit à Saül, ou du fait que Jésus a utilisé un fouet pour nettoyer le temple est condamné à l'échec.

Nous devons cependant manifester davantage de respect à l'égard d'un argument sérieux qui subsiste pour justifier la guerre. Cet argument n'a pas toujours été distingué clairement des éléments exégétiques qui viennent d'être mentionnés ; il repose sur un autre fondement et dans sa forme la plus pure, il admet que la non-résistance est la volonté de Dieu pour les chrétiens, et que la guerre est un mal. Malgré cette concession, il maintient que, dans un contexte social donné où des tiers sont impliqués, la non-résistance n'est pas la réponse entière au problème du mal. Le chrétien comme individu doit tendre l'autre joue ; mais dans la société, les chrétiens ont la responsabilité de protéger leurs bons voisins contre les mauvais voisins, ce qui équivaut, comme nous l'avons vu, à la fonction de police de l'État. Cela ne signifie pas que les bons voisins soient entièrement bons et que les mauvais soient entièrement mauvais ; mais, dans le conflit en question, l'égoïsme de l'un des voisins se rapproche peut-être davantage de l'ordre et de la justice que l'égoïsme de l'autre. Il est par conséquent du devoir du chrétien, par l'intermédiaire des fonctions de l'État, de contribuer à la conservation de l'ordre et de la justice de cette manière. Si l'alternative était de permettre passivement l'extension de la tyrannie, qui serait pire que la guerre, la guerre comme cas extrême pourrait se justifier.

Nous devons reconnaître la sincérité et la cohérence de ce point de vue, ainsi que le réalisme honnête que ses défenseurs affichent lorsqu'ils prétendent n'être ni des anges, ni investis d'une mission divine pour une croisade. Cette conception de la fonction de l'État est la seule vraie et sérieuse, et elle coïncide avec la conception biblique de la fonction de police dévolue à l'État sous la seigneurie d'abord de YHWH, ensuite du Christ. C'est précisément l'objection que nous lui faisons ; cette manière de voir, fondée sur une analyse réaliste de l'ancien éon, ignore le nouveau. Il n'est pas spécifiquement chrétien et il pourrait cadrer dans tout système honnête de moralité sociale. Si le Christ ne s'était jamais incarné, s'il n'était mort, ressuscité, monté au ciel, et s'il n'avait envoyé son Esprit, ce point de vue n'en serait pas moins possible, bien que son expression particulièrement claire et objective puisse résulter en partie de certaines conclusions chrétiennes.

Le slogan contemporain qui exprime l'attitude prévalant à l'égard de la guerre et à d'autres questions de nature sociale, en particulier dans les cercles œcuméniques contemporains et néo-orthodoxes ou « libéraux bien-pensants » est le terme de « responsabilité ». Ce terme est très dangereux, non pas pour ce qu'il exprime, mais pour son côté pétition de principe et son ambiguïté. La question n'est pas de savoir si le chrétien possède une responsabilité à l'égard de l'ordre social, mais celle de savoir quelle responsabilité. Ceux qui utilisent ce slogan, partent de l'affirmation que nous sommes responsables, pour arriver à la conclusion (contenue dans la définition de la responsabilité) que notre responsabilité doit être exprimée de manière spécifique, y compris par la possibilité ultime de la guerre[1]. L'erreur ici ne consiste pas dans l'affirmation d'une responsabilité chrétienne réelle à l'égard de l'ordre social ; elle réside plutôt dans la présupposition (généralement non-vérifiée et inavouée) que cette responsabilité est définie seulement à partir de la logique d'un ordre social donné plutôt qu'à partir de l'Évangile. Ainsi, c'est la situation de péché elle-même qui devient la norme, et une éthique chrétienne dérivée de la lumière de la révélation est exclue.

Nous avons vu que les chrétiens ont une responsabilité réelle envers l'ordre social, mais que, pour être précis, cette responsabilité doit faire la distinction entre les objets de son témoignage. Donc, il nous semble que l'erreur de fond de la position de « responsabilité » réside dans son

1. Le sens précis, qui prête à controverse, pris par le terme « responsable » dans les discussions d'éthique et de politique protestante est analysé plus en détail dans le chapitre « Christ, the Light of the World », (*The Original Revolution*, surtout à la page 142).

point de départ constantinien. Ce point de départ sème la confusion quant à l'agent de l'éthique chrétienne. Étant donné que la distinction entre l'Église et le monde est largement perdue, l'Église « responsable » tentera de prêcher un type d'éthique applicable autant aux non-chrétiens qu'aux chrétiens. Ou pour le dire plus clairement, étant donné que dans une telle société chacun peut se considérer chrétien, l'Église enseignera une éthique non pas pour ceux qui possèdent la puissance du Saint-Esprit et une espérance qui les mette en mouvement, mais pour ceux dont le christianisme est un conformisme. Cette position exclut au départ toute possibilité de placer l'éthique chrétienne dans sa lumière véritable et aboutit à faire du christianisme cohérent un « appel prophétique » d'un petit nombre, pour autant que celui-ci ne prétende pas avoir raison.

Cependant, la préférence de l'ancien éon par rapport au nouveau, ainsi que l'identification de la mission de l'Église avec le sens de l'histoire au sein duquel l'État organise une société déchue, représentent les critiques les plus sérieuses que l'on puisse adresser à cette définition de la responsabilité sociale. Cette préférence est si profondément ancrée et si incontestable qu'il semble scandaleusement irresponsable de la part des « sectaires » d'oser la remettre en question. C'est pourquoi les Églises américaines dans leur ensemble se trouvent embarrassées lorsqu'on leur demande de parler d'eschatologie. Cependant, il ressort clairement du Nouveau Testament que le sens de l'histoire ne tient pas à ce que l'État peut atteindre en réalisant un ordre plus tolérable de la société, mais dans ce que l'Église accomplit au travers de l'évangélisation et en jouant son rôle de levain. Cette « conscience messianique » de la part de l'Église apparaît aux yeux des défenseurs d'une vision moderne du monde comme des plus aggressives, mais c'est ce que nous trouvons dans la Bible.

Il est fréquent d'entendre dire que le refus par les chrétiens d'assumer la fonction de police dans la société équivaut à abandonner cette fonction aux mains de personnes mauvaises ou au « démoniaque ». Encore une fois, cet argument apparemment logique n'est ni tout à fait biblique, ni tout à fait réaliste :

a. Parce que la fonction de police ne serait pas abandonnée au démoniaque, mais soumise au règne du Christ.
b. Parce que les chrétiens en agissant comme levain diffusent la moralité chrétienne dans l'esprit non-chrétien au travers de l'exemple et au travers de l'éducation des enfants qui ne choisissent pas eux-mêmes un christianisme radical et a pour résultat une amélioration du niveau moral de la société non-chrétienne ; des personnes honnêtes et honorables sont ainsi disponibles pour faire fonctionner le

gouvernement avant que l'Église ne soit numériquement assez forte pour permettre au concept de responsabilité de prendre suffisamment de sens. (À titre d'exemple : le quakerisme, le méthodisme et le revivalisme le long de la frontière américaine ont fait davantage pour donner une note morale à la tradition démocratique anglo-saxonne que le jeu politique anglican ou puritain – une fois de plus, il est préférable de jouer le rôle du levain plutôt que de politiser).

c. Parce que la fonction prophétique de l'Église, bien comprise, est plus efficace contre l'injustice que l'implication dans le processus politique lui-même partisan.

d. Parce qu'il y a toujours le pouvoir de correction potentiel des autres égoïsmes (l'Assyrie en Es 10) pour prévenir l'emballement des abus.

L'argument du « moindre mal » se trouve formulé dans le contexte de cette mentalité de la « responsabilité ». Tout en affichant une honnêteté louable en refusant d'affirmer que la violence et la guerre sont bonnes, il ne fait que révéler davantage la confusion logique dans l'emploi des termes. Généralement, ni les agents, ni la nature du mal, ni les critères de comparaison des maux, ni la relation entre les moyens et la fin ne sont clairement définis, et encore moins dérivés de la Bible.

Laissons de côté plusieurs critiques valables et concentrons-nous sur la forme la plus défendable de l'argument du « moindre mal ». La dispute porte autour de l'affirmation suivante : par amour pour le voisin A, je le protégerai d'une attaque de la part du voisin B, car si je m'y refusais, je partagerais la culpabilité de l'attaque. Être coupable de violence défensive contre le voisin B est un moindre mal comparé à la culpabilité de passivité qui laisserait se dérouler une attaque contre le voisin A pour une des deux raisons suivantes : soit parce que le voisin B est l'agresseur, soit parce que le voisin A est mon ami, mon parent ou mon concitoyen pour lequel je porte davantage de responsabilité que pour le voisin B.

La réponse non-résistante ne peut que paraître scandaleuse et pousse le scandale de la croix à son apogée. Si la croix définit l'*agapè*, l'*agapè* refuse :

a. que sa « propre » famille, ses amis ou ses compatriotes soient à aimer davantage que l'ennemi[1].

1. La préférence pour l'ennemi par rapport à l'ami comme objet de la responsabilité morale chrétienne est définie dans Matthieu 5 et Luc 6. Elle est fondée dans la nature de l'amour de Dieu, qui favorise l'ennemi en aimant les hommes rebelles et en recherchant leur restauration.

b. que la vie de l'agresseur ait moins de valeur que celle de l'agressé.
c. que la responsabilité de prévenir le mal (faire la police à l'égard du voisin B) soit une expression de l'amour (c'est l'amour au sens d'un sentiment bienveillant, mais non au sens de l'*agapè* tel que définie par la croix) lorsqu'elle implique la mort de l'agresseur.
d. que laisser faire le mal soit aussi condamnable que de le commettre.

Ces quatre refus sont compris implicitement dans le développement positif de cet essai ; les développer davantage ici ne serait que redite. Le fait que ces refus soient scandaleux aux yeux de nos voisins ne fait que démontrer à quel point l'état d'esprit du christianisme occidental est « constantinisé », c'est-à-dire influencé par des idées païennes ou préchrétiennes de solidarités humaines particulières érigées en absolus éthiques.

Lorsque cet argument est reformulé par rapport à la question de la guerre, sa formulation habituelle résulte dans l'affirmation que la tyrannie est pire que la guerre. Mis à part la confusion des agents (la tyrannie est la faute du tyran, la guerre est notre faute), elle pose sérieusement la question de la fin et des moyens. Dans le contexte d'une éthique « absolutiste », la fin et les moyens sont inséparables et il ne peut pas y avoir de calcul légitime d'un succès prévisible. Pour l'éthique du moindre mal, cependant, la comparaison des résultats est de la plus haute importance. Après le rejet (sur la base du moindre mal) d'arguments mystiques à propos du combat absolu jusqu'à la mort contre des forces supérieures, il devient difficile de démontrer que l'autonomie nationale, en dépit des valeurs culturelles qu'elle prétend protéger, serait une perte plus grande que la destruction consécutive à une guerre atomico-bactériologico-chimique et la totalitarisation des nations encore « libres » impliquées dorénavant par la guerre. Étant donné que personne d'autre à part Gandhi n'a essayé la soumission à la tyrannie, la comparaison est difficile à faire ; cependant, les nations qui, au cours de la Seconde Guerre mondiale ont résisté le plus violemment à Hitler, ne sont pas celles qui ont le moins souffert. Pour le disciple chrétien, il est évident, à partir de l'attitude de Jésus face aux forces d'occupation romaine et de son rejet des visées et des méthodes des zélotes, ainsi qu'à partir de l'histoire de l'Église des premiers siècles, que la guerre n'est pas préférable à la tyrannie ; cela signifie que l'intention d'affranchir son peuple de l'emprise despotique n'autorise pas l'usage de méthodes sans amour. En fait, l'affirmation selon laquelle Dieu s'intéresse spécialement à l'autonomie politique de chaque peuple, ou selon laquelle Dieu a chargé toute nation moderne d'une mission particulière qui ferait de sa survie un bien en soi, correspond précisément à l'élément païen dans le constantinisme moderne « particularisé ». Pour le chrétien, la survie personnelle n'est pas un but en soi, encore moins, donc, la survie nationale.

Une seconde objection à l'argument du « moindre mal » découle de l'incapacité de l'agent humain à prévoir le résultat de son action de manière à comparer des maux hypothétiques, et plus particulièrement de manière à comparer un mal qu'il commettrait avec un mal qu'il préviendrait. La décision de fonder ses choix éthiques sur ses propres calculs est en soi déjà une manière de sacrifier l'éthique au profit de l'opportunisme. De tels calculs sont hautement incertains, en raison des limitations de la connaissance humaine et en raison de la distorsion de la vérité objective par l'orgueil humain. Déplaçons notre critique sur le plan du christianisme : Dieu a souvent agi dans l'histoire de manière à confondre les prédictions des pieux et des fidèles, particulièrement de ceux qui liaient leurs prédictions au sujet de l'action de Dieu à leur bien-être national. Dans le passé, les contributions les plus significatives à l'histoire n'ont pas été faites en majorité par des stratèges sociaux, qui, de leur position de pouvoir, cherchaient à manœuvrer en direction du moindre mal, mais par des sectaires dont la conscience eschatologique les rendaient capables d'agir en apparence de manière irresponsable. La manière la plus efficace de contribuer à préserver la société dans l'ancien éon est de vivre selon le nouvel éon.

Une troisième objection, qui devrait avoir une signification décisive pour l'école de la « responsabilité », bien qu'elle soit rarement relevée, consiste dans le fait que l'effet de l'argument du « moindre mal » dans la réalité historique est opposé à son intention de départ. Appliqué de manière cohérente, cet argument condamnerait la plupart des guerres et la plupart des causes de guerre en n'autorisant une guerre qu'en tout dernier recours, car assujettie à des limitations très strictes. Cependant, l'effet réel de cet argument sur le témoignage de l'Église est d'autoriser au moins la guerre à laquelle la nation est justement en train de se préparer, étant donné qu'au moins cette guerre (dit-on) est de tout dernier recours. Tandis qu'au niveau de son intention, un tel avis devrait limiter les guerres tout en condamnant fermement toutes les guerres actuellement menées ou en cours de préparation, son effet sur ceux qui entendent parler les théologiens est de faire de la guerre ou de la menace de guerre un premier recours. Tandis que, dans le cadre d'une application cohérente, l'argument du « moindre mal » devrait nous conduire à un pacifisme pragmatique (bien que non-absolu) et au soutien de moyens non-violents de résistance, en réalité, il autorise l'Église à accepter la domination de la société moderne par le militarisme sans dissidence effective.

L'auteur de ces lignes était présent dans les années 1950-51 à l'Université de Bâle, lorsque Karl Barth traitait de la guerre et de sujets apparentés dans le cadre d'exposés qui constitueront le volume III/4 de sa *Dogmatique*. Durant plus d'une heure, son argumentation était catégorique, condamnant pratiquement toutes les causes concrètes pour lesquelles des guerres ont pu être ou peuvent être menées. Les étudiants étaient de plus en plus mal à l'aise en particulier lorsqu'il affirmait que le pacifisme avait « presque infiniment raison ». C'est alors que survint la volte-face dialectique avec l'idée d'une vocation divine d'autodéfense assignée à une nation particulière ; une guerre que la Suisse pourrait mener fut déclarée – hypothétiquement – admissible. Il y eut tout d'abord un relâchement de tension dans une atmosphère générale de « je pensais bien qu'il n'irait pas jusque-là », puis des applaudissements. La différence entre ce que Barth a dit et ce que les étudiants ont compris est significative. Même si une mise en pratique cohérente de l'enseignement de Karl Barth condamnerait *toute guerre*, à l'exception de celles menées pour défendre de petites républiques chrétiennes, et bien que Barth lui-même prenne maintenant catégoriquement position contre les armes atomiques, déclarait lui-même « être pratiquement un pacifiste »[1], tout chrétien à demi informé pense que Karl Barth n'est pas opposé à la guerre. De manière similaire, la justification de l'état de préparation à la guerre de l'armée américaine est utilisée par Luce[2], pensant à certains patriotes américains, pour légitimer un militarisme bien plus intransigeant que celui que Niebuhr pourrait vouloir défendre. Cette tendance des théologiens à être mal interprétés fait également partie de la « réalité politique ». Même l'analyse la plus clairvoyante et la plus réaliste est ainsi impuissante contre l'effet de levier du compromis constantinien. Une fois que la nation a été autorisée exceptionnellement à devenir l'instrument de la colère de Dieu, l'héritage païen généralise rapidement cette autorisation pour en faire un blanc-seing divin.

John Howard YODER (1927-1997)
Professeur d'éthique
à l'Université Notre Dame (South Bend, Indiana)

---

1. Karl BARTH, *Dogmatique,* Volume IV/2**, Labor et Fides, Genève, 1970, p. 189. L'original en allemand rend ce point de manière plus évidente encore en opposition à l'interprétation qui est faite communément de sa position : *Die kirchliche Dogmatik*, Band IV/2, Zurich : Evangelischer Verlag, 1955, p. 622.

2. Note de traduction : Probablement une allusion à Clare Boothe Luce (1903-1987), membre républicain du Congrès américain de 1943 à 1947 et ambassadeur américain en Italie sous le président Eisenhower de 1953 à 1957.

Conclusion

Les différentes contributions qui constituent cet ouvrage n'ont pas la prétention de présenter une étude complète des « choses dernières ». Il n'y a pas d'étude systématique ou exégétique de l'eschatologie ; le lecteur ne trouvera pas non plus certains thèmes habituels, surtout en ce qui concerne les thèses prémillénariste, amillénariste ou postmillénariste. Les débats sur ces questions ont rempli des livres depuis des siècles et nous n'avons pas voulu entrer dans la matière[1].

Nous avons voulu aborder le sujet autrement, en montrant le lien fort qui existe entre « le temps de la fin » et « aujourd'hui ». Il y a déjà suffisamment d'éléments fondamentaux à souligner à ce propos pour ne pas entrer dans les débats qui divisent et qui éloignent parfois les chrétiens du sens véritable de l'enseignement eschatologique.

Notre but ici n'est donc pas de « conclure » mais de relever quelques thèmes qui ont parcouru les diverses contributions et de poser quelques pistes de réflexion pour l'avenir.

1. Eschatologie et engagement dans le monde

Puisque la tradition anabaptiste a souvent été accusée d'être séparatrice ou sectaire, il est intéressant de noter que plusieurs contributions cherchent explicitement à « créer de l'espace » pour l'engagement social et missionnaire plutôt que de justifier un retrait devant les problè-

1. Plusieurs de nos auteurs sont bien au courant de ces débats. Bernard Huck donne le cours sur l'*Apocalypse* à la Faculté Libre de Théologie Evangélique de Vaux-sur-Seine. Claude Baecher est chargé d'enseigner la doctrine de l'eschatologie dans la même institution. Voir par exemple son travail « L'espérance de l'Église, une perspective biblique », *Les Cahiers de Christ Seul*, numéros 3 et 4, 1999.

mes du monde. Cet espace trouve évidemment son origine dans l'eschatologie.

Cela signifie que le temps historique actuel est valorisé, affirmation qui n'est pas toujours évidente dans les milieux évangéliques. L'eschatologie ne doit pas servir à affirmer que « tout va mal, il faut simplement attendre la fin ». Le temps qui reste « avant la fin » nous est donné pour vivre et pour construire. C'est un temps essentiel, car il a été créé par Dieu et marqué par le sceau de l'incarnation du Christ. L'avènement du Christ valorise le présent plutôt que de le dévaloriser. Il nous pousse en dehors de nos frontières religieuses habituelles. Comme le dit B. Huck, « c'est le regard eschatologique qui nous délivre de nos nationalismes spirituels, de nos ghettos culturels, de nos normes partisanes, et nous amène à plus d'humilité et d'ouverture ».

Dès le XVIe siècle, dans un contexte très difficile, l'approche de Marpeck trouvait une place légitime pour l'ordre politique et décrivait le temps qui reste comme l'occasion d'annoncer l'Évangile. Pendant ce temps, les chrétiens ont à vivre comme Jésus (thème anabaptiste de la *Nachfolge Christi*). C'est le retour du Christ et le fait que Dieu seul soit juge qui motivent son raisonnement. La pensée eschatologique de Marpeck ne nous fait pas fuir le monde. Au contraire, elle crée un espace important et nécessaire dans l'histoire.

Linda Oyer nous rappelle que ce temps présent sert les desseins de Dieu dans l'histoire. Le Dieu qui vient n'est pas inactif en attendant : « Face à une situation de rupture [...] ce Dieu trine entreprend alors une mission motivée par l'amour qui existe en son sein, une mission dont le but est de réconcilier les êtres humains avec lui [...] et les uns avec les autres. » Cette mission dans le présent reflète l'avenir de Dieu. « Le pardon humain est tout d'abord une anticipation eschatologique [...] Quand nous pardonnons aux autres, nous attestons la réalité du royaume de Dieu à venir. »

À ce même propos, Frédéric de Coninck nous a rendu un service précieux. Pour ceux qui seraient tentés de croire que le discours eschatologique relève d'un langage religieux ou ésotérique sans lien avec le monde dans lequel nous vivons, il devrait être clair que tout discours social ou politique se fonde sur une eschatologie implicite ou explicite. Le discours eschatologique biblique est donc un moyen de participer aux débats sur le sens de l'histoire et de la politique. Le temps présent, c'est donc là où les chrétiens ont à s'engager pour montrer justement la pertinence de la pensée et de la pratique chrétiennes dans les débats et dans les situations actuelles de la société.

John Yoder construit sa vision de l'État à partir de l'eschatologie : « Le règne du Christ implique pour l'État l'obligation de servir Dieu en encourageant le bien tout en refreinant le mal, c'est-à-dire en servant la paix, en préservant la cohésion dans laquelle le levain de la foi peut construire l'Église et rendre ainsi l'ancien éon plus tolérable ». Le « séparatisme » de l'anabaptisme est en train d'être retravaillé, à partir du regard eschatologique. John Yoder n'écrit-il pas que « la question n'est pas de savoir si le chrétien possède une responsabilité à l'égard de l'ordre social, mais celle de savoir quelle responsabilité » ?

En même temps, nous avons vu que cette responsabilité n'est pas sans lien avec l'établissement de la justice dans la société. Claude Baecher a montré à quel point la recherche de la justice faisait partie de la critique des Frères Suisses. « Le thème de la justice est au centre de leur théologie plus encore que celui de la justification. Ce qui est attendu, c'est un monde où habite la justice [...] l'attente est celle, non seulement de la résurrection du corps, mais également [...] d'une terre et de cieux véritables où règne concrètement la justice... ». De même, Marpeck envisageait un État juste qui n'imposerait pas de convictions religieuses à ses citoyens. L'engagement chrétien, à cause du Christ qui revient, implique donc une recherche de la justice dans le temps actuel[1].

Notons en passant que plusieurs auteurs ont placé la mission de l'Église comme élément fondamental de l'engagement chrétien dans le monde. Pour Marpeck, « le temps qui reste, c'est le temps de l'annonce de l'Évangile ». B. Huck : « Tout en étant ce peuple à part, qui marque sans cesse sa différence, il est une fraternité "ouverte" et non pas un club fermé pour initiés [...] L'Église en marche regarde vers l'avant, certes, et c'est vital pour elle, mais ce regard la conduit à un engagement concret dans le monde où elle se trouve pour témoigner du Royaume et appeler à la rejoindre afin que ce peuple grandisse au fur et à mesure de sa progression... » J. Yoder : « ... il y a l'appel à l'individu, y compris à l'homme d'État, à se reconcilier avec Dieu. C'est de l'évangélisation dans le sens contemporain strict et cela fait partie du témoignage de paix ». « ...il ressort clairement du Nouveau Testament que le sens de l'histoire ne tient pas à ce que l'État peut atteindre en réalisant un ordre plus tolérable de la société, mais dans ce que l'Église accomplit au travers de l'évangélisation et en jouant son rôle de levain. »

1. Nous pourrions citer les ouvrages de Frédéric DE CONINCK qui traitent de ce thème : *La justice et l'abondance*, *La justice et la puissance*, *La justice et la connaissance*, *La justice et le pardon* (à paraître), Québec, La Clairière.

2. Eschatologie et communauté chrétienne

Le regard chrétien sur « la fin » pousse à l'établissement d'une réalité sociale et communautaire aujourd'hui. B. Huck nous le rappelle avec insistance : « Cette vision eschatologique est celle d'un peuple, elle est communautaire. Une vision trop individualiste tend vers l'amour fusion, l'attente et la préparation à la grande Union. Une vision plus communautaire se réalise dans un peuple en marche, un amour en action, préoccupé de relations, qui organise la vie d'un peuple selon les valeurs du Royaume qui vient. »

Le pardon que Dieu offre anticipe l'avenir et tend vers de nouvelles relations. « Le pardon n'a pas prioritairement une finalité individualiste. Il chemine toujours vers la restauration de la relation et le brisement des murs qui divisent. » Ce pardon fait partie de la mission de l'Église, « une mission dont le but est de réconcilier [...] les uns avec les autres ». « C'est seulement en vivant le pardon que des personnes imparfaites peuvent constituer une communauté de la fin des temps » (L. Oyer). « Cette parole fait du culte un lieu de guérison, de soutien mutuel indispensable, de solidarité vitale dans cette situation, un lieu où l'on apprend à souffrir ensemble, où l'on reprend pied ensemble, où l'on poursuit sa route en comptant les uns sur les autres » (B. Huck).

L'engagement chrétien dans la société présuppose cette réalité communautaire. Dans un monde brisé, « l'eschatologie du Nouveau Testament appelle à surmonter les conflits, en vivant ensemble, en communauté, avec des personnes qui, auparavant, étaient nos ennemis ». Cette réalité communautaire est quelque part le lieu concret qui anticipe l'avenir eschatologique. « Si [...] notre vie communautaire est défaillante, notre eschatologie tournera à vide » (F. de Coninck).

La communauté chrétienne n'est donc pas le lieu où « nous attendons tranquillement la fin de l'histoire », elle est plutôt cette réalité concrète qui s'ouvre à l'Esprit de Dieu pour que les réalités dernières commencent à prendre forme et devenir visibles dès aujourd'hui.

3. Eschatologie, « Nachfolge Christi » et jugement

S'il y a une spécificité dans l'approche anabaptiste concernant l'eschatologie, c'est probablement son lien étroit avec la christologie et la personne de Jésus de Nazareth. Un tel lien existe évidemment dans toute théologie chrétienne, mais l'articulation anabaptiste, c'est-à-dire son lien à la vie de disciple et à la non-violence, est une particularité de cette tradition. Cet ancrage christologique était évident dans toutes les contributions de cet ouvrage. En attendant l'avènement du Christ, la communauté chrétienne participe au bien du monde en suivant Jésus, en renonçant à toute prétention de régner, car le jugement est dans les mains de Dieu et non dans celles de l'Église.

Le travail de Claude Baecher montre que pour les anabaptistes suisses, il y avait, pour utiliser le langage sociologique, un besoin de compensation et ainsi un désir probablement inconscient de vengeance contre les puissants, exprimé par la notion du jugement. La fin de son chapitre insiste sur l'importance de maintenir cette idée de jugement et avec J. Yoder il pose la question : « Est-il légitime pour nous de nous réjouir dans le fait que des méchants soient punis ? Un monde dans lequel le mal n'attirerait pas la destruction sur lui-même ne serait en aucun cas un monde meilleur. »

Par contre, plusieurs des contributions tendent vers une eschatologie moins axée vers le jugement, c'est-à-dire avec un accent plus fort sur la réconciliation. « Même si à la fin Dieu jugera, la priorité de Dieu restera toujours celle de pardonner et de restaurer la relation. Dieu ne désire pas la mort du méchant… » (Linda Oyer). « L'eschatologie chrétienne est donc une eschatologie de réconciliation au nom du fait que Dieu s'est réconcilié avec nous » (Frédéric de Coninck). « Christ est venu pour sauver et non pour détruire, ce qui signifie que tous, jusqu'au dernier jour, devraient avoir la possibilité d'être sauvés » (Pilgram Marpeck).

Notons simplement qu'une question théologique fondamentale est évoquée ici : comment concilier l'amour de Dieu avec sa justice, comment articuler de manière cohérente son projet de réconciliation et la possibilité qu'ont les hommes de rejeter celui-ci ? Une chose est claire dans tous les chapitres : le jugement reste dans les mains de Dieu, affirmation qui n'est pas neutre sur le plan éthique.

4. Eschatologie et vie quotidienne

Dans notre situation de « post-chrétienté » en Europe, une eschatologie fondée sur cette souveraineté ultime de Dieu peut nous aider à discerner notre engagement et les attitudes que nous avons à adopter dans une société où Dieu n'est plus au centre des discours et des projets de société. Au lieu de regarder vers un passé où le christianisme fut « au centre » du discours et capable de s'imposer, tournons plutôt nos regards vers cette terre nouvelle où la justice régnera, tout en concrétisant, là où c'est possible, les réalités de ce monde à venir.

Cette espérance chrétienne refuse de se lancer dans les débats sur les dates et les mécanismes de la victoire finale de Dieu. La tentation n'est-elle pas pour les uns de se retirer dans un monde intérieur et spirituel pour « attendre » et pour les autres de faire le travail de Dieu à sa place pour s'assurer la mise en place d'un monde meilleur ici et maintenant[1] ?

Certes, en Europe du moins, nous ne sommes plus dans la situation de persécution que connaissaient ceux à qui le livre de l'Apocalypse fut adressé. Mais face à notre situation minoritaire, face à un monde déchiré et injuste, face aux événements de notre siècle, nous pouvons quand même partager leur question : « Jusques à quand, maître saint et véritable, tarderas-tu à faire justice... ? » (Ap 6.10) Cette victoire finale, elle prend du temps à venir, n'est-ce pas ?

Il n'est pas toujours facile d'accepter l'une des implications importantes de l'eschatologie biblique, c'est-à-dire qu'il n'existe pas nécessairement un lien apparent entre la victoire de Dieu et la situation concrète que connaissent les communautés chrétiennes ici et maintenant. Dans les cas extrêmes, comme celui de l'Apocalypse ou aujourd'hui ceux de certains pays africains, le lien est plutôt contradictoire : ceux qui proclament la victoire finale de Dieu vont mal, ne connaissent que des difficultés. Nous pourrions aussi évoquer le cas européen, où nous allons plutôt bien sur le plan économique et politique. Est-ce là une des raisons pour lesquelles notre eschatologie a perdu son lien avec la vie quotidienne ?

De toute façon, le langage eschatologique a du mal à se faire entendre. Dans l'Europe post-chrétienne, comment les chrétiens oseraient-ils proclamer la victoire de Dieu avec une crédibilité quelconque ? Comment, à Kinshasa ou à Brazzaville, confesser que Jésus-Christ est Seigneur face aux jeux géopolitiques qui tuent et enlèvent l'espoir ? Mais c'est là où le lien entre eschatologie et christologie est fondamental : c'est l'agneau immolé, c'est-à-dire le Christ crucifié, qui est digne de régner, de recevoir le pouvoir et la louange, et « tel il est, lui, Jésus, tels nous sommes, nous aussi, dans ce monde » (1 Jn 4.17).

La question est simple : comment croire à la victoire quand on n'est pas en train de gagner ? Comment affirmer le règne de Dieu si nous

---

1. Nos derniers paragraphes s'inspirent d'un chapitre de J. YODER, « The Power Equation, the Place of Jesus and the Politics of King », in *For the Nations : Essays Public and Evangelical*, Grand Rapids, Eerdmans, 1997, p. 125-147.

sommes en train de « perdre » et si nous perdons chaque jour un peu plus de terrain ? Comment croire au « demain de Dieu » lorsque « aujourd'hui » indique le contraire ? N'y a-t-il donc pas un lien entre eschatologie et vie quotidienne ?

Le lien, c'est l'affirmation selon laquelle il n'y a pas forcément une corrélation évidente entre la confiance en Dieu et la situation actuelle. Cette affirmation échappe-t-elle à l'accusation d'« opium du peuple », c'est-à-dire qu'il suffit d'accepter la souffrance d'aujourd'hui pour jouir du salut demain ? L'accusation serait juste si accepter la souffrance d'aujourd'hui n'était que résignation passive ou fuite du monde.

Le lien entre eschatologie et vie quotidienne n'est pas celui de cause à effet, mais de croix à résurrection. Le lien, c'est croire que l'agneau immolé est digne de recevoir la gloire, de croire que la fin détermine les moyens que nous utilisons « en attendant ». Si l'agneau a vaincu, le chemin qu'il a pris – la croix et la résurrection – montre la façon dont le mal a été et sera toujours vaincu.

Mais pour vivre cette foi, nous avons besoin les uns des autres. C'est au sein de la communauté qui vit en fonction de la fin que nous pouvons cultiver et discerner l'espérance qui vient de cet avenir vers nous. Ce n'est pas notre efficacité ou le fait de prendre d'autres chemins lorsque celui du Christ nous paraît tellement inefficace qui nous permettront de discerner l'espérance au milieu de notre monde. C'est dans cette vie vécue ensemble en fonction de la bonne nouvelle, par le chant, la prière, la prédication, le pain et le vin, le pardon, la réconciliation, le partage et le service, en rendant le bien pour le mal, en considérant sa propre souffrance à la lumière de celle du Christ, que l'espérance est maintenue et perçue dans les situations les plus désespérantes.

Nous pouvons vivre et lutter pour la justice et le pardon, même si nous ne « gagnons » pas tout de suite, ici et maintenant. Nous pouvons être artisans de paix et de réconciliation, même si les guerres et les conflits continuent, car nous savons que le mal n'aura pas le dernier mot. Nous pouvons combattre, nous devons lutter, mais le critère de notre combat n'est pas l'efficacité ou la nécessité d'imposer notre point de vue. Si le crucifié se trouve maintenant à la droite de Dieu, cela signifie « qu'il tient le monde dans ses mains », ce qui nous libère pour vivre comme il a déjà vécu, car c'est dans sa vie que l'avenir s'est manifesté.

Neal BLOUGH

REMERCIEMENTS

Nous tenons à remercier Hubert Goudineau et Michel Sommer, qui ont relu et commenté ces textes dans leur première forme ; Frédéric de Coninck, qui a piloté le projet dans sa première phase ; Thomas Gyger, qui a traduit le chapitre de John Yoder ; et Pascal Keller, qui a relu, corrigé et commenté cet ouvrage dans les dernières étapes de sa rédaction.

INDEX DES RÉFÉRENCES BIBLIQUES

Ancien Testament

Nouveau Testament

Actes

Romains

1 Corinthiens

2 Corinthiens

Éphésiens

Philippiens

Colossiens

1 Thessaloniciens

2 Thessaloniciens

1 Timothée

2 Timothée

Tite

Hébreux

Jacques

1 Pierre

2 Pierre

1 Jean

Jude

Apocalypse

INDEX DES AUTEURS

J

K

L

M

N

P

R

S

T

V

W

Y

Z

INDEX THÉMATIQUE

P

Q

R

S

T

Table des matières